国家出版基金项目
NATIONAL PUBLICATION FOUNDATION

《三联经典文库》

第二辑

2012 年国家出版基金项目

《三联经典文库》编辑委员会名单

三联经典文库

105

陕行纪实

楚云 著

生活·讀書·新知 三联书店

图书在版编目(CIP)数据

陕行纪实 / 楚云著. -- 北京：生活·读书·新知三联书店, 2014.1
（三联经典文库第二辑）
ISBN 978-7-108-04642-0

Ⅰ. ①陕… Ⅱ. ①楚… Ⅲ. ①报告文学－作品集－中国－当代 Ⅳ. ①I25

中国版本图书馆CIP数据核字(2013)第246579号

105 陕行纪实

责任编辑　胡群英
封扉设计　蔡立国
责任印制　徐　方
出版发行　生活·讀書·新知 三联书店
　　　　　(北京市东城区美术馆东街22号)
邮　　编　100010
经　　销　新华书店
印　　刷　北京市松源印刷有限公司
版　　次　2014年1月北京第1版　2014年1月北京第1次印刷
开　　本　787毫米×1092毫米 1/32　印张 5.5
字　　数　74.3千字
定　　价　20.00元

《三联经典文库》出版缘起

适逢生活·读书·新知三联书店八十华诞，为弘扬传统，接续文脉，回报读者，服务社会，我们决定策划出版《三联经典文库》。

1932 年 7 月，生活书店在上海创办，此后，读书出版社和新知书店相继成立。本文库第一辑、第二辑所选图书，来自于这三家出版单位及其分支机构，以及 1948 年生活·读书·新知三联书店成立后的出版物，始于 1932 年，截至 1951 年，两辑各一百种。此为第二辑，涉及政治、经济、社会、军事、思想文化诸领域，涵盖专著、文集、散文、小说、诗歌、传记、报道等体裁，既有直面现实、追求真理、讴歌真善美、抨击假恶丑的原创作品，又有引介世界各国先进文化、传播新知、开启民智的迻译之作，真实记录了那一代知识分子的思考与探索、理想与愿景和对中华民族文化传承与创新所做出的努力与贡献。

本文库所辑入各书，多为名家名作，在版本方面，以初版一印本或经著译编者审定、修订、增订过的版本为首选，因此本文库又具有较为珍贵的版本价值和收藏价值。

本文库还将编选续辑，使之成为恢弘文化工程。诚挚希望读者给予批评和指正，帮助我们完善编选工作，再现三联经典作品之风采。殊为遗憾的是，由于年代久远，一些原著译编者及其后人未能取得联系并奉付稿酬，诚盼版权所有者与我们联系。祈愿三联前辈所创造的精神财富能薪火相传，为中华文化的伟大复兴增光添彩。

《三联经典文库》编辑委员会

2013 年 8 月

凡　例

一、本文库为重排本，由繁体字竖排版改为简体字横排版。

一、以忠实于原作、整旧如旧为编辑原则，对当时使用的专有名词、外文译名，以及民国时期的语言和特色予以保留。

一、原书注释如旧，编者所出的注释，均以“编者注”标明，以示与原书注释的区别。

一、对原书残缺或字迹漫漶之处，以□示代。

一、对繁简文本转换时的“如右”、“见左”一类，对应改为“如上（前）”、“见下（后）”。

一、对原书中各种错讹脱衍之处，直接订正，不再以其他符号标示。

一、对数字、标点符号的用法，在不损害原文语义的情况下，做必要的规范。

一、本文库各书均前插原书书影、原书版权页和文库版“本书出版说明”。

一、本书出版说明的撰写，以客观中立为原则，扼要介绍本书的内容、版本流转、著译编者的情况。

本书出版说明

本书是一本报告文学集，完稿于1938年3月底4月初，记录了作者于“八·一三”抗战后以一个通讯社的记者前往西北延安等多地采访的所见所闻。第一章属游记类文字，之后的各章节主要对途中耳濡目染和搜集的一些实际材料，加以客观的分析和叙述，目的是将当时中共陕甘宁边区政府的各种措施，特别是开展得有声有色的抗战动员、文化活动、民主选举、民众组织等工作，从其布置到完成，全盘加以介绍，以供注意边区情形和救亡工作者参考。书中附录有陕甘宁边区委员会在民主普选运动中所提出的施政纲领，以及颁布的《陕甘宁边区选举条例》、《选举委员会工作细则》、《土地所有权证条例》、《抗日军人优待条例》等，有相当的史料价值。

本书由汉口读书生活出版社初版于1938年8月。

此次出版，即以此版为底本。

郑楚耘（1907-1961），原名郑凫，又名陈楚云，字眠石。福建福安县人。1928年秋考入北平民国大学法律专业，同年加入中国共产党，次年春转入国立北平大学俄文学院，开始从事工人运动，为革命一生坐过三次牢。1935年后长期从事进步文化工作，与艾思奇、胡绳、林默涵等在上海组织过秘密的“哲学研究会”，编辑过《读书生活》半月刊、《战线》三日刊，随后到过陕北，在战地工作两年余，1939年暮冬到重庆“读书生活出版社”工作，仍负责编辑《学习生活》半月刊（由《读书生活》改名），疏散到南洋后依然从事文教工作。1958年初回国，任中国新闻社副社长、党组成员，兼全国青联常务理事。因提议新闻报道要防止浮夸，而遭审查批判至1961年。同年11月9日，因脑病恶化，坠楼身亡。

生活·读书·新知三联书店

2013年8月

读书生活出版社 1938 年 8 月初版书影

陝行紀實

每册實價 國幣三角五分

一九三八年八月初版

著者 楚雲

總經售 讀書生活出版

漢口 交通路三十一號

廣州 教育路銘賢坊三號

重慶 武庫街一百號

成都 祠堂街三十三號

經售處 全國各大書局

原书版权页

目次

前　记

“八·一三”抗战后，蛰居上海多年的我，怀着一种被激动的紧张情绪和好奇心，以一个通讯社的记者资格到过西北许多地方，后来得有机会折往当时还被一般青年朋友看作耶路撒冷似的神秘的延安；在那里住了一些时候，游览过许多地方，增加我不少新的知识。

不久我就南归了，遇到许多旧时的朋友，一谈就谈起在那边所见所闻的情形，他们都感到兴趣，怂恿我写成一个小册子，并且还可以拿到一些稿费来济穷，我觉得此事合做，便壮起胆子来写了。

起初我打算以速写的体裁写成游记之类的东西，后来我看到了史诺的《西行漫记》那么洋洋浩瀚，不免有小巫见大巫之感，不愿东施效颦了，所以写了“延安的印象”一节后，就改变方针，完全将我所耳濡目染和搜集的一些实际材料，加以客观的分析和叙述；目的是想将那边的各种设施，特别是做得有声有色的抗战动员，文化活动，民主选举，民众组织等工作，从其布置到完成为止，全盘介绍出来，以供注意边区情形和救亡工作者的参考。倘使这小册子真有值得参考的地方，不算为战时宝贵纸张的浪费，那就可以减轻我心中的愧怍了！

稿子是三月底四月初写完的，因印刷上的一再耽误，竟迟至八月才出版，所以近一二月的情形，并没有收入这小册子去，这是很抱憾的。

楚云　“八·一三”周年纪念日于汉口

一、延安印象

（一）一个古老的山城

沿西京北行八百华里，有个古老的山城——延安，四围荒山环抱，蜿蜒的延水带一样地绕在东南郊外，大半的城墙是沿着山冈而筑成的，从远远的山原上望过去，宛如一面屏风，栉比的闾阎在那屏风面前排列着。

这个古城不仅是历代的军事要隘，而且是历代陕北的政治和文化的中心，相传杨六郎把三关就在这个地方。唐代诗人杜少陵在这里居栖过很多时候，和延水相交流的少陵川就是这样得名的；还有先天下之忧而忧的范仲淹，也曾在这里做过两任太守。从许多断碣残碑中，可以依稀看出旧时的文物。假如你是个考古家，你更可以在这里发现许多历史上的遗迹。

大约是因为历代的战争和封建剥削的缘故吧，这个历史上有名的古城，后来渐渐地荒凉下来，被人所遗忘了，不消说文化上也是非常低落的。

自从二万五千里长征的红色战士到了此地之后，这个古老而荒凉的山城，就顿然变了颜色，换上一个新的气象，成为中外人士所注目的地方了。许多的青年对它有一种神秘的憧憬，潮一样地涌进这里来受革命的洗礼。在延安城里，你可以碰到全国任何角落里的人，听到各种不同的口音。就是新加坡，马来，爪哇，安南，暹罗，……甚至德国人，英国人，美国人，捷克人，南斯拉夫人，你都可以偶然在这里碰到的。尤其是北平和上海这两个文化的中心遭逢空前的浩劫之后，许多文化人，教授，艺术家……也都云集在这里。男的女的一样穿着戎装。假如是星期日，在延安城里熙来攘去的外地人是要比当地的居民多的。延安城里就因而繁荣起来，路旁的商店，合作社，小摊子一天天地增加着。这个荒凉僻壤的山城简直变成一个小都会了。

（二）看不见苦脸相的人

这个小都会虽没有柏油的马路，高耸的洋楼，光亮的汽车，看不见涂脂抹粉的娇娆女人，西装革履的“翩翩少年”，而我们在这里却能看到新鲜，活泼的气象。

在打扫得颇为洁净的黄土街衢上，熙熙攘攘的人群中，你若留神去观察每个人的表情，你就不会发现一个苦脸相的人，不论是老百姓或是机关里的工作人员，也不论是男的女的老的幼的，他们的眉宇之间都洋溢着一种愉快的神情，不像我们平时在别的地方所看到的，有着堂皇地坐在汽车里的高贵人，和在马路旁边寒抖抖地哭丧着脸的人。假如是年青人的话，你更可以在他们的仪表上看得出青春的活跃，虽则每个人穿的都是那么臃肿（冬天男女都穿着棉衣棉裤），吃的都是那么粗粝（吃的是小黄米饭）。

这种活泼，愉快的气氛不仅在延安城里，整个边区都很难看见一个苦脸相的人，我参观过很多地方，一般地说来，虽则经济建设还远落在政治和文化建设之后，到处仍不免有“地瘠人穷”之感，但我不曾看见过一个乞儿，这是什么原因呢？因为这里的田赋没有了，苛捐杂税也取消了，人民都有了土地，都可以安居乐业了。

这儿的青年都有远大前程，
这儿老人受人尊敬。

这两句歌词，借用来形容在这里生活着的人们之所以活泼，愉快，我以为是颇恰当的。

（三）关于民族统一战线

直到现在仍有不少的人对于国共的合作，起了许多怀疑，以为共产党的所谓民族统一战线，只不过是一个政治手段而已，暗地里还是干着过去那一套的。对边区情形不明白的人，以为边区和苏区的分别只不过是名义上的不同吧了。这种怀疑自然是有理由的，因为国共两党曾经你死我活的斗争过十年，怎样会一旦真正的团结起来呢？但是你如果到了这共产党人所集合的边区，很客观的来仔细考察一下，你就会感到这种怀疑是多余的了。

来到边区的人，大约都是到延安城下车的吧，当你的卡车驶近延安城的时候，就在那城墙上大书特书的标语会刺入你的眼帘的，如："抗日高于一切，一切服从抗日"啦，"一切为着民族统一战线，一切经过民族统一战线"啦，"拥护蒋委员长抗战到底"啦，"巩固国共两党亲密合作"啦……诸如此类的字眼。假如你是成见深的人，光看了这些标语，你还以为这不过是弄弄花样而已，还不能冰释你心中的怀疑的，但你也不要着急，你应该慢慢的去观察，看看他们是不是口是心非，是不是忠实的执行抗日民族统一战线，干的是不是抗日的事情，还是另外的一套。一天两天，你是看不出什么来的，你得住下十天八天，或者个把月，反正他们会招待你的。你去访问他们的领袖，到各地方去参观，听他们的领袖对群众的讲演，对党员的训话，最好你还要到抗日大学，陕北公学，抗属学校……等教育机关去旁听他们的功课，阅读他们的讲义，调查各民众团体的情形——如西北青年救国会，妇女联合会，总工会，抗敌后援会，文化界救亡协会……等等，你会豁然知道共产党原来是磊落大方的政党，没有什么政治阴谋，你从此再也不会相信许多不怀好意的人对它的诬蔑了。我不是在这里替它辩护，实实在在是我自己亲身体验之后才冰释了我心中的疑团的。

我曾经访问过一个从苏联坐着飞机回来不久的他们的领袖陈云先生，据闻这个领袖是工人出身的，别的地方虽然很少人知道他的名字，而在边区里他也是很有威信的领袖之一。他身材适中而瘦削，面色有点苍黄，一看就知道是个从艰苦的斗争中锻炼出来的人。他的讲演是很出色的，操着江苏的口音，讲演时的态度和表情，很有幽默的风趣，所以听的人一点也不感到疲倦。

我有过偶然的机会和他谈话，向他提出了下列的几个问题。首先我问：

> 史达林论革命的战略和策略时说过：战略是策略的主导，策略服从于战略，策略可以时常变动，而战略则不能时常变动的。中国共产党对于民族统一战线的态度，是不是一种策略呢？还是战略？

他对我这问题感着兴趣，不迟疑地答道：

> 自然是战略。中华民族能否最后战胜日本帝国主义，是要看民族统一战线是否能够巩固，巩固民族统一战线的中心环节在于国共两党的亲密合作，共产党不仅在抗日过程中和国民党合作把日本帝国主义赶出国境，而且在抗日胜利之后，也诚意和国民党合作实现孙中山先生为民族独立，民权自由，民生幸福的三民主义，建设民主共和国。对于国共两党的亲密合作为基础的民族统一战线不是一时的，而是长期的。

“共产党过去是主张阶级斗争的，在抗日的时期中是否仍是主张阶级斗争呢？”我又问。

“阶级斗争是现社会不可避免的现象，不是共产党主张不主张的问题，不主张阶级斗争，而阶级斗争的事实依然是存在的。在今天民族危机万分急迫的情势之下，国内的阶级关系已经起了变化，民族的矛盾是超过了阶级的矛盾，我们提出‘抗日高于一切，一切服从抗日’的口号，也就是根据着民族危机和国内阶级关系变化的客观情势的，各阶层和各党派的利益，都应该服从于民族的利益。只有为日本帝国主义执行特务工作的托匪汉奸，才在今天假借阶级斗争的‘漂亮词句’，进行破坏民族统一战线。”这是他答复我的大意。

接着我又问：

> 那么，在抗战过程中，阶级间的磨擦，是不是可以避免呢？怎样才能避免呢？

他说：

> 阶级间的磨擦自然是免不了的，我们主张在增加国防生产的原则之下，来改善工人的生活，减租减税，改革地方行政机构废除苛杂，以改善农民的生活，资本家和工人，地主和农民之间，应该互相让步，一切的纠纷和争执，应以民族的利益为前提，在互相让步的原则下

来解决，这样就能减轻阶级间的磨擦了。

在这些简单的谈话中，我们也就可以看出共产党对于抗日民族统一战线的态度了。同时我们也可以看出共产党人不论是领袖和普通党员，也不论在什么场合里，他们所说的差不多都是一样的。

二、从苏维埃到普选的民主制度

（一）关于民主选举

提起“民主选举”，我们中华民国初年的时候，也曾有过这么一回事，不过那时的所谓“民主”，是地主豪绅和资本家的“民主”，钱多的人选举一票，当钱少的人三票，没有不动产五百元以上的人，就根本没有投票的权利。地主豪绅用钱收买票数，办选举的人从中舞弊，这是公开的秘密，所谓选举成了土豪劣绅升官发财的捷径。像这样选举出来的所谓人民代表，自然是不能希望他代表民意的。大家都还记得，曹锟要做总统的时候，北京众议会的议员差不多全体都成了“猪仔”，发了洋财，这样，中国的政治怎不弄得一团糟糕呢！

后来当权的人觉得选举实在有点麻烦，率性连这形式都不要了，谁的兵多，谁就是大总统，次多的就是督军或者省长，少一点的就是地方的霸王，全中国造成了军阀割据的局势。

到了国民党统治中国，后来主张一党专政，要把老百姓训练之后再来选举，这原也合乎孙中山先生的训政时期与宪政时期的意思，未尝不可的；可是训得太长了，一连训了十年，孩子也已长大成人，人民的民主还没有得到。

到了民国二十五年，政府才声明“训政告终，宪政开始”，打算召集国民大会了，但所颁布的国民大会的代表选举法，给人民选举的自由，仍是很有限的，并且后来因为国难危急国民代表大会的召集又不得不搁浅下来，这不能不说中国国民的民主自由是很艰难得到的。

现在边区政府已是直属国民政府之下的地方政府，要施行普选的彻底民主制度，而且强调争取“边区为抗战与民主的模范地区”，这对于素来没有享受过真正民主自由的中国人民，不能不感到兴趣，而对它特别注意了。

边区要施行的普选民主制度，到底是什么样的东西呢？苏维埃工农民主制度怎样可以变成普选的民主制度呢？它是怎样转变呢？变成什么样子？像苏联新宪法颁布后的普选民主呢？还是像英，美资产阶级的民主呢？这是每个有政治头脑的中国人民要发问的问题。

大家都还记得，当去年国民党在南京开三中全会的时候，共产党中央委员会打了一个通电，请求国民党实行五项国策，头一项则为："停止一切内战集中国力一致对外"，并向国民党保证改变他自己的政策，也有四项，其中有两项是："苏维埃政府改名为中华民国特区政府……"（后称边区政府），"在特区政府区域内，实施普选的彻底民主制度"。现在边区所举行的民主选举，也就是实施在这四项保证之下的民主制度。

（二）苏维埃与普选的民主制度有什么不同

普选的民主制度和苏维埃制度有什么不同呢？这是需要加以解释的。

最明显的不同之点，就是苏维埃制度是工农的政权，只有工人和农民及一部分的小资产阶级才有选举权和被选举权，地主，富农，豪绅，资本家是没有选举权和被选举权的；而普选的民主制度则不论什么人，也不论做过什么事，只要他不是汉奸卖国贼和犯罪经法庭褫夺公权的，都有选举权和被选举权。

其次，苏维埃的选举是宝塔式的间接选举法，最初选民选出乡代表，由乡代表选出区代表，再由区代表选出县代表，再由县代表选出省代表，然后由省代表选出全国代表，一层一层的选上去，好像宝塔一样，这是适宜于工农民主专政的；而普选制度则是直接的选举法，乡代表，区议员，县议员，以及边区议员都是选民直接选出的，不需要转岔子，选民参加选举的次数比较多。

第三，苏维埃的选举法，工人和农民选出的代表人数是不同的，如乡代表会，农民居民二十人选出代表一人，工人只需十三个居民就可选出一个代表，为的是要使代表中工人占着多数，即所谓保证无产阶级的领导。而普选制度则是平等选举法，不论什么阶层，票数是一样的。

第四，选民行使主权的形式，苏维埃选举和普选的民主制度也有大大的不同，我们上面已经说过，苏维埃选举是宝塔式的，如一根直线一样，没有议会制度，就是说立法权和行政权是不分立的；而普选民主制度，则立法权和行政权是分立的，议会和政府，处于并列的形态。下面的图例，更可以明白的看出苏维埃选举制度和普选的民主制度之结构，有其根本上的不同。

苏维埃的选举制度

现在边区的普选民主政制

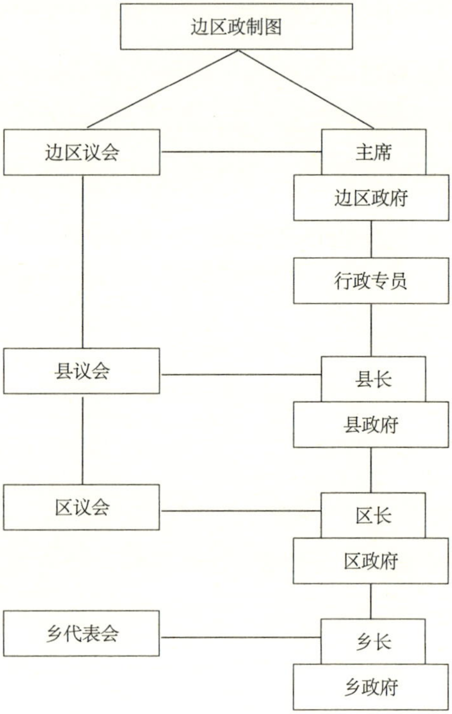

在选举法上过去苏维埃和现在的民主普选制度也有不同之点，苏维埃的各级政府，均由代表大会选出执行委员会，由执行委员会选出主席团，由主席团选出主席，而现在边区的各级政府首长——乡长，区长，县长，

边区主席，则由各级议员选举出来的。议会得时时去监督政府。县议会或边区议会闭幕时，还要选出常驻议员若干人代表行使议员职权。许多的大事情，都须经过议会决定之后，才能执行。

（三）边区普选民主制度的特质

我们把这两种制度的不同之点指出来之后，就可以知道边区普选的民主制度是什么样的东西了，它和苏联新宪法颁布后的普选民主制度有本质上的不同，因为苏联的民主之扩大是在阶级消灭的过程中，智力劳动和体力劳动的界限已经不存在了，农民和智力劳动者的选举权跟工人一样扩大起来；而边区的普选民主制度，虽然比苏维埃工农制度要扩大得多，但它的扩大，相反的，是包含了各阶级的成分，允许地主，豪绅，富农，资本家有选举权和被选举权的。它是一切抗日人民的民主，而其性质是资产阶级的。

但是它又不是和英美资产阶级的民主完全一样，资产阶级讲是要讲民主的，但实际上只是有钱的人占优势，工农在资产阶级的社会里所能得到的民主是很少很少的，而边区的社会基础和阶级关系是有很大的不同，因为经过苏维埃革命，封建势力已被摧毁，土地问题根本解决，苛捐杂税也已完全取消，工农有二三年的政治生活经验，并且有无产阶级的先锋队——共产党在那儿起着领导的作用，而地主，豪绅，资本家已不能在这里占着优势，所以边区的普选民主制度是可能做到彻底的民主的。

（四）工农的反响

由工农的民主改为一般的民主，这在工农阶级方面看来自然是不上算的事，他们最恨的是地主，富农，豪绅和资本家，现在这些人都有了选举权和被选举权，这还了得吗？因此，起初的时候对于普选的民主制度就有很多怀疑，也有表示反对的，但共产党对于这问题用了不少的力量向群众解释，他们所说的理由是这样的：

由工农民主转到一般的民主（即资产阶级

的民主）在表面上看来固然是退步了，从社会进化的步骤看来，以前是“封建专制”，后来是“资产阶级的民主”，再后来才是“工农的民主”，只有像苏维埃这样的工农民主，工农大众才真正行使了自己管理国家的权利。现在工农民主改为一般的民主，自然是让步了，但是这种让步是必要的。小小的苏区虽然实现了工农的更高民主，而广大的地区，工农得不到一点民主，现在苏区让地主，豪绅，富农，资本家有选举权和被选举权，将来全国的工农大众也能得到民主，这种让步不是很值得的吗？

就人数讲，小小的一块苏区，只有全国人口百分之一，全国还有百分之九十九的民众，不能顾问国家大事，而这些大事——国外的民族敌人日本帝国，要把他们变成亡国奴，国内的汉奸们，压榨得他们喘不过气来——迫得他们非管不可，所以就爆发了许多救国运动，他们需要民主。

我们所号召的抗日民族统一战线，不分

阶级党派，在救国的旗帜下一致联合起来。为着抗日需要实行民主。我们边区不但要做成抗战的模范区，而且要做成民主的模范区，就是说我们这里实行了彻底的民主，作为全国的榜样，给全国争取民主的人民效法，朝着这个榜样前进；同时也就可以督促中央政府给全国人民以民主。

总之，由苏维埃到普选的民主制度，是为了统一抗日救国，为了争取全国性更广大的民主，在全国的范围看来，是革命的向前发展，不是退后的。

（五）议会和行政的组织

那么边区怎样来施行它的普选民主制度呢？议会和行政的组织是怎么样的呢？我们先来看它的《议会和行政组织纲要》吧：

一、陕甘宁边区为争取中华民族独立解放，

在全国范围内，首先实行最适合于抗战的彻底民主制度。

二、为行政的便利，县区区域，须为适宜的划分。

三、各级议会议员，由选民直接选举。各级行政长官——乡长，区长，县长，边区主席，由各级议会选举，边区政府各厅长的任命，须得边区议会的同意。

四、各级会议改选，开会，及各级长官边区法院院长改选时期：

（1）乡代表会及乡长，每六个月改选一次，乡代表会每一个月召集一次。

（2）区议会及区长，每九个月改选一次，区议会每二个月召集一次。

（3）县议会及县长，每一年改选一次，县议会每六个月召集一次。

（4）边区议会主席，法院长，每两年改选一次，边区议会每一年召集一次。上项议会，均于必要时得召集临时会。

五、县议会闭会时设县常驻议员代行职权，边区议会闭会时设边区常驻议员代行职权，常驻议员由各该议会选举，县常驻议员人数五人至九人，边区常驻议员人数十一人至十五人。

六、各级议会的职权：

（1）选举行政长官。

（2）批准预算。

（3）创制或批准各项建设计划。

（4）决定征收各项地方性的捐税及发行地方公债。

（5）议决边区内的单行法律。

（6）召回所选出之行政长官。

（7）下级议会议决案不得与上级议会议决案冲突。

七、各级政府直接对各级议会负责。

八、边区政府设秘书处，建设厅，农工厅，教育厅，财政厅，民政厅，保安司令，法院，审计处；边区政府组织主席团，各厅组织委员会，厅长为当然主任。

九、边区政府与县之间，设行政专员为传达并督察的机关。

十、乡政府为吸收广大群众参加工作，应按工作组织各种委员会，较大的村（或离乡政府较远的村联合）设代表主任。

十一、选民对于所选代表认为不称职时，得随时撤回改选之。

十二、边区长官的俸给，不得比熟练劳动者的所得为多。

十三、少数民族（蒙，回）有自由组织自治政府及自由加入或退出边区政府之权。边区议会内设少数民族委员会，保护少数民族的特殊利益。

十四、各级政府组织条例另定之。

应该加以特别注意的是在纲要第十三项中，“少数民族有自由组织自治政府及自由加入或退出边区政府之权……”，这就是边区对于少数民族问题的主张，他们认为过去中央政府对于少数民族问题的政策是不切当的，不应该用大汉族主义的呆板办法去束缚他们，应该让其自决和独立，使他们有自己的武装和自己的组织，发挥他们的民族特殊性，能独立而后才能讲联合，有自由而后才能讲平等。过去因为大汉族主义的错误，致日寇便于从中挑拨与离间，例如日寇勾引德王，企图建立傀儡蒙古国来灭亡我们，同时我们只看蒙古的衰弱现象；至于回民呢，几十年前甘肃西北有回汉的大惨斗，至今还是一片荒凉，几年前，甘回暴动，死了好几万人。这都是大汉族主义所铸成的大错，两败俱伤，结果便利了敌人。边区政府特别指出了这一点，所以在这组织纲要里，确定了自决的原则。

边区法院审判独立，但仍隶属于主席团之下，不采取司法与行政并立的状态，这也是值得注意的一个特点，所以这样的理由是因为适应时局的变动，审判常须受政治的指导，与其设特别法庭或特种审判来调剂，不如使法院在主席团领导之下保持其审判独立，这样于保障人权上较为有利。

还有一个特点，就是政府的工作人员，不论职位高低，其薪俸的最高额不超过熟练劳动者的所得。这是苏维埃运动中吃苦耐劳的传统作风，过去苏区政府工作人员和部队都没有俸给的，只给予以一般的生活保障，这个办法是任何民主国家所没有的，边区能够继承这种刻苦耐劳的作风，是值得我们称羡的。

（六）选举委员会的工作

进行选举，开始的时候，除动员各团体作深入的宣传解释工作之外，最要紧的自然是成立各级的选举委员会，专门办理选举的事情。选举委员会是根据选举条例的规定由政府及群众团体代表组成的。有它自己的工作细则，按照工作细则进行工作。乡级的选举委员会，委员三人至五人，区级的选举委员会，委员五人至七人，县级选举委员会的委员七人至九人，边区的选举委员会的委员九人至十一人。除边区选举委员会直属于边区政府外，其余均隶属于上级，如乡隶属于区，区隶属于县。

选举委员会的委员平常是不脱离生产的，就是说委员一面办理选举的事情，一面仍要从事生产，或做其他的工作，但到了选举的时候，工作特别紧张繁重，才可以暂时解放他原有所担任的工作，专门来办理选举的事情。至于经费，每区不能超过三十元。

选举委员会做些什么工作呢？首先第一自然是宣传，虽然政府动员了各机关各团体根据着宣传大纲如指示向群众宣传选举的意义，各地的党部也竭力在宣传动员群众参加选举，为选举委员会本身仍是要做广泛的宣传的，使每一个选民都要参加选举，这是选举委员会的任务之一。

其次是登记选民，委员分工到各村，同村代表按户登记，按照选举条例所规定的人数比例，并分别有选举权的和无选举权的，制成选民名单及代表数目张贴于公共的地方。

第三是解决选民的疑难和争执，例如东村的王五提出高某是豪绅，罗某是地主不应有选举权。那么选举委员会就要向他详细解释：现在是民主普选，只有汉奸卖国贼没有选举权，其他不论什么人都有选举权的，高某和罗某虽是豪绅地主，但他们没有做汉奸卖国贼，应该有选举权的。又如西村代表提出：西村离乡政府很远，许多选民——尤其是小脚妇女不能来乡政府参加选举，怎么办？这时选举委员会就根据选举条例第二十一条，乡代表选举以村为单位的规定，由选举委员会派人到西村去主持会议，不必选民远道奔走。

以上是乡代表选举的简单例子，选举区议员，县议员，边区议员的手续也是大同小异的。所不同的地方是：第一，选民已经登记过了不必再来一次登记的麻烦。第二，选举区不同，区选举以乡为单位，那要把各村的票数总合起来，才能决定谁是多数当了选的。县和边区的选举，均以区为单位，要把各乡的票数总合起来，才能决定谁是多数当了选的。

（七）民主选举的经过

边区各级政府的民主选举是从去年七月十五日开始的，到十月底已完成了乡级，区级和县级政府的选举。边区政府的选举原定十二月五日举行的，后来因为抗战工作的紧张便延期了。这里所叙述的系乡级，区级和县级的大概情形，可以看出边区这次的民主选举是怎样进行的，和民众对于参加这次民主普选的态度。

为着避免占过多的篇幅，乡，区，县各级只各举一个地方的实际情形为例。

（甲）乡政府的改选情形

乡政府的改选开始时，由各乡政府召集贫农团团长及村主任等开了一个关于乡政府地主选举的活动分子会议，由县区的选委会做了报告之后，即详细的讨论了由苏维埃转到普选民主制度的意义及选举条例，讨论过后即推举乡的选举委员五人，成立了乡级选举的领导机关。

从各乡选委会成立后，宣传队即进行广泛的活动，深入群众中做耐心的宣传解释工作，不仅是以村为单位召集群众演讲，而且还利用了院子及屋子会，进行宣传，使一般群众认识选举的意义。

选民大会是在乡选委会的领导下，以村为单位召开了的，在大会上张贴了候选人的名单，各乡群众到会都非常踊跃，约占选民总数十分之八九。

由选民大会产生了乡代表会，各乡代表会举行会议时，到会代表平均三分之二，大多数的代表都发表许多意见。选举乡政府时，共产党提出的候选名单大多数都当选了，并把过去工作消极的乡负责人洗刷出去，三十四个旧乡长落选了十三个，使得乡政府更加健全起来。

在改选的时候，选民是有很多提案和批评意见的，例如保安区某乡有很多人提议设立学校，修理桥梁……等，又有一些商人提议三十里以内不要放哨（因为这会影响他们的买卖的），经过群众自动的讨论，许多好的提案通过了，独有商人的提案大家认为在抗战紧张的时候，不应取消放哨，被否决了。又如在各乡的会议上，各代表对于旧乡长工作有许多批评，例如合作社久不算账，忽视优待抗日军人工作，文化教育工作的不够，戒严工作的松懈等。所有这些提案和意见，均要新的乡政府负责执行。

——以上是志丹县乡政府改选的大概情形。

（乙）区级的选举

在县级选委会的领导下，成立了区级选举委员会，详细讨论了区议员及区长的候选名单，区主席的工作报告大纲及进行选举的具体办法。接着分工到各乡，由各乡长召集各种委员会主任及各行政村村长开联席会议，讨论选举的意义及工作的进行。并在开选民大会的前三天将居民的总数和区议员的数目以及候选名单公布于各村。

区选民大会是以乡为单位召集的，各乡开会时，由区选委会委员报告选举意义及解释选举条例后，提出候选名单经大会通过，即把候选名单写出去发给选举人，选举人在名单上划圈，如有不识字的选民，则采用举手表决的办法。

全区将议员选出后，即开议员大会，由主席做报告及提出候选名单，再由各候选人报告自己的历史，最后经全体议员用无记名投票选出区长。

在进行选举的过程中，因为宣传工作的深入，各区乡群众对于这次的选举都有相当了解，特别是和目前的抗战形势有很好的联系，加强了自卫军的工作，如在各区的盘查处建立起来了，而且还盘查出逃兵；合作社的股金也扩大了，如一二三区共扩大了六七百股；学校也增加了，全县增加了十处，动员了少年儿童三百余人入学。此外还有女孩子积极的帮助了选举工作的进行。

——以上是淳耀县区级选举的大概情形。

群众对于这次选举是热烈拥护的，例如延长县议员大会开幕时，群众自动送了许多慰劳品，加锦帐，旗子，以及食粮菜蔬之类，堆满了议会。

群众对于政府的工作是热烈地讨论的，对过去工作的检讨和批评，对将来应兴应革的事情，各区按照各区的特殊环境都有提案，例如延长县六区，选民大会的提案就有十把件之多，如建筑道路啦，发展合作社啊，充实抗战教育内容啦，种植树木保护森林啦，不一而足。政府就要根据选民提案去逐渐执行。

（八）竞选运动

还应该说一说的是竞选的情形，民主普选的特点就是各政党的竞选，例如欧美许多民主的国家，当选举的时候，各政党提出自己的候选名单，向群众讲述自己的政见和主张。边区选举条例第二十五条也有规定各政党及各职业团体提出候选人名单进行竞选运动。但是现在的边区，除了共产党外，还没有其他政党的活动，所以只有共产党和工会，农会，商会，学生会，妇女会……等群众团体提出候选人。

共产党边区委员会在竞选中先提出了对边区政府的施政纲领于群众面前，然后再提出候选人名单，将候选人的经历，革命功绩等介绍出来，张贴各处。各群众团体也同样将它所提的候选人介绍出来。

中国共产党陕甘宁边区委员会在民主普选运动中所提出的施政纲领为领导边区全体人民一致抗战，挽救中华民族的危亡，争取抗战的彻底胜利，并保护广大人民的民主权利及已得利益，中共陕甘宁边区党委根据本党抗日救国十大纲领，特主张在陕甘宁边区进行施行下列主张：

（一）动员边区一切人力财力物力实行抗日战争，扩大和加强人民的抗日武装组织（八路军，保安队，自卫军，少先队，儿童团等），在边区以外去发展广泛的游击战争，勿使日寇势力进入边区，坚决为保卫边区，保卫华北，保卫全中国而抗战到底。

（二）在有力出力有钱出钱的原则下，解决边区抗日财政问题。

（三）实行民主普选制度，发扬前在苏维埃下已经实行的各种民主设施，保证工农群众已经得到的各种权利。

（四）保证人民有言论，出版，集会，结社等民主自由。

（五）对于农业：

（1）保证农民已分得的土地，实行耕者有其田。

（2）兴办水利。

（3）培植森林。

（4）发展畜牧业。

（5）设立模范农场改良种籽农具水利。

（6）帮助贫苦农民解决其耕牛农具种籽的困难，保证战时农产品的自给。

（六）发展石油，食盐，铁等与国防有关之工业，整顿与扩大国防生产，奖励与国防文化建设有关之投资。

（七）保护商业提倡国货，改良土产禁绝日货，取缔奸商反对投机操纵，发展合作社运动以推广货物的流通。

（八）废除苛捐杂税，减租，减息，采用统一的累进税。

（九）实行八小时工作制改善工人的待遇。

（十）优待抗日军人家属。

（十一）预防水灾旱荒，充实义仓，调济粮食保障民食。

（十二）实行社会救济（失业，老病，残废，灾民等）。

（十三）实行国防教育，实施普及的义务的免费的教育，提高人民民族觉悟的程度，实行学生的武装训练，普遍的设立日校夜校，及补习学校进行消灭文盲运动，改善教员职员的待遇。

（十四）帮助蒙，回民族实行民族自决，联合蒙，回民及其他一切少数民族，在民族自决“和民族自治的”原则下共同抗日。

（十五）严厉镇压汉奸卖国贼亲日派的活动，彻底消灭扰乱社会治安之日本别动队——土匪，巩固后方。

（九）土地问题的解决

陕北本是地广人稀的地区，过去差不多有一半以上的土地都是荒芜着的，就是现在，有些地区虽经过惨淡经营，颇有今昔悬殊之感，然而大多数的地区仍是荒凉满目；我们在旅行的途中，触入我们眼帘的，尽是荒山荒野，一片宽敞的平地，也看不到几家人家，和“山穷水尽疑无路，柳暗花明又一村”的南国比较起来，真有天壤之别，而地层里蕴存着的宝藏，不消说是不会被开发出来的。

虽然是地广人稀，而过去的封建剥削反更利害，肥沃一点的平地，往往都是少数地主所占有。苛捐什税也是算不清的，据说在从前，有一口骡子和几只羊几垧地的人家，每年平均所要纳的捐税就要百元左右。自经过苏维埃革命之后，所有地主的村地（即平地），在“耕者有其田”的原则下被分配给农民了，每个能够自己劳动的农民，每人大约可以分得五垧至十垧（每垧约合二亩半至三亩）。现在政制已经改变了，土地问题到底怎样解决呢？

随着政制的转变，土地政策也有基本的转变，对于地主阶级的土地，财产已经停止没收，这是中共致国民党三中全会的通电中所提出的保证之一。

但是农民既得的土地怎么办呢？牺牲农民既得的利益归还地主呢，抑是保护农民的利益，仍旧维持现状不归还地主？

边区政府，对这问题的解决，是在保护农民既得的权利下，维持现状，不把已分配的土地归还地主，重新建立剥削的关系来的。倘使从前的地主回到边区来，则由边区政府另给土地房屋。

至于土地所有权，在政制转变后，则有新的确定，旧的土地所有权的证据，已不能适用，地主豪绅常来威胁农民归还土地，所以边区政府特颁发了土地所有权证条例，重新确定了土地所有权。兹附录于下：

中国共产党陕甘宁边区委员会在民主普选运动中提出的施政纲领（附录一，缺）

边区政府颁发《土地所有权证条例》（附录二）

第一条　本条例所称土地，包括农地，林地，牧地，房地，荒地，水地，及其他水陆天然富源。

第二条　下列土地，不得为私有：

一、可通运之水道。

二、天然之湖泽而为公共需用者。

三、公共交通道路。

四、矿泉地。

五、盐地。

六、公共需用之天然水源地。

七、其他属于公共性质之土地。

第三条　凡属第一条所定土地及其定着物之所有人，必须依本条例向当地县政府领取土地所有权证。

第四条　凡未照本条例，在规定限期内，领取土地所有权证之土地，概作为公有土地。

第五条　土地所有权证，为土地所有权之唯一凭证，在土地所有权证颁发后原有关于土地所有权之各种契约，一概作为无效。

第六条　土地所有权证由边区政府统一印制，由各县政府盖印颁发后，即发生效力。

第七条　凡属私有土地，每一段土地颁发土地所有证权一张。

第八条　土地所有权证载明下列各项：

一、土地种类。

二、土地坐落。

三、土地面积。

四、土地四至界限。

五、每年平均收获量或收益（农地收获量以十六两秤，三十斤斗为标准计算，其他土地以收益计算）。

六、土地等级。

七、定着物情形。

八、所有权来历。

九、所有人之姓名，籍贯，住址，成分等。

第九条　土地所有权证每张应缴纳费额依下列之规定：

一、农地：

（甲）面积二垧以下者五分。

（乙）面积五垧以下者一角。

（丙）面积十垧以下者二角。

（丁）面积十五垧以下者三角。

（戊）面积二十垧以下者五角。

（己）面积二十一垧以上者一元。

二、林地，牧地，荒地：

（甲）面积五垧以下者五分。

（乙）面积十垧以下者一角。

（丙）面积廿垧以下者二角。

（丁）面积卅垧以下者三角。

（戊）面积四十垧以下者五角。

（己）面积四十一垧以上者一元。

面积单位，得以各地习惯名称为标准，但计算费时，仍以每一习惯单位等于一垧。

三、城市房地：

（甲）面积五方丈以下者一角。

（乙）面积十方丈以下者三角。

（丙）面积二十方丈以下者五角。

（丁）面积二十一方丈以上者一元。

四、乡村房地：

（甲）十方丈以下者一角。

（乙）廿方丈以下者二角。

（丙）卅方丈以下者三角。

（丁）卅一方丈以上者五角。

第十条　各县颁发土地所有权证时，事前应公布本条例及开始颁发日期，自开始颁发之日起，二个月内，各土地所有人，均须依法领土地所有权证，如有特别情形者得声请展期。但至多不能超过六个月，如在六个月后尚未依法领取土地所有权证之土地，即照第四条之规定作为公有土地。

第十一条　土地所有权证颁发后如有错误，遗漏，或陈报不实，及其纠葛情事，得于六个月内，提出声明或控诉。

第十二条　土地所有权证因损坏请求换给者，应将损坏之原土地所有权证，缴呈当地县政府，即照换给，并照第九条之规定另行缴费。

第十三条　土地所有权证因毁灭或遗失请求补发，应由土地所有人缮具声请书载明第八条所列各项。并说明毁灭或遗失原因，取具四邻及乡长之保证书，除照第九条规定缴费外，并备公告费三角，缴呈当地县政府查对原土地所有权证存根无误，登报在当地公告三个月后，得补发之。

第十四条　土地如因出卖或其他事故，请求转移土地所有权之全部或一部分时，应由出让人与承受人合具转移所有权声请书，并将原土地所有权证缴呈当地县政府，即照换发，并照第九条规定缴费。

第十五条　凡请准开垦公有荒地自行耕种

者，得声请发给土地所有权证，但开垦后，不继续耕种，仍任其荒芜三年以上者，得收回其土地所有权证。

第十六条　本条例修改解释之权，属于边区政府。

第十七条　本条例自公布之日施行。

《陕甘宁边区选举条例》（附录三）

第一章　总则

第一条　本条例遵照国民政府国民代表大会选举法民主的原则，并依据陕甘宁边区的特殊情形而判定，于边区区域内适用。

第二条　本条例采取普遍的直接的平等的无记名的选举制，保证实现彻底的民主。

第三条　抗日部队的选举另列章规定之。

第二章　选举资格

第四条　凡居住陕甘宁边区区域的人名，

在选举之日，年满十六岁的，无男女，宗教，民族，财产，文化的区别，都有选举和被选举权。

第五条　犯下列各条之一的人，没有选举权和被选举权。

一、有卖国行为经法庭判决者。

二、经法庭判决有罪剥夺公权期限未满者。

三、犯神经病者。

四、（一）项人的家属。但其家属如系革命者不在此例。

第三章　选举议员人数的比例

第六条　各级议会区域选举被选人与居民的比例：

一、乡代表会　每居民二十人得选举代表一人。

二、区议会　每居民五十人得选举议员一人。

三、县议会　每居民二百人得选举议员一人。

四、边区议会　每居民一千五百人得选举议员一人。

第七条　不满法定人数而在法定的半数以上的，亦得选举议员一人。其人数在法定半数以下的，得选举候补议员一人。

第八条　各级选举得按照当选人数，选出三分之一的候补议员，候补议员出席议会时，有发言权无表决权，候补议员以得票的次多数充之。

第四章　抗日军队的选举

第九条　军队参加选举的范围：

一、属于区的武装部队，参加区以上的选举，不参加乡的选举。

二、属于县的武装部队，参加县以上的选举，不参加区乡选举。

三、属于边区的武装部队，参加边区选举，不参加县区乡选举。

四、警卫部队参加所在地的选举。

第十条　军队的选举工作，由团政治处，或营连最高政治工作人员指定二人至五人，组织选举委员会进行之。

第十一条　乡代表会及乡长每六个月改选一次，乡代表会每月召集一次。

第十二条　区议会及区长每九个月改选一次，区议会每两个月召集一次。

第十三条　县议会及县长每一年改选一次，县议会每六个月召集一次。

第十四条　边区议会长官法院院长，每两年改选一次，边区议会每年召集一次。

上列各项会议均于必要时得召集临时会。

第六章　选举委员会

第十五条　选举委员会为办理选举专门机关，其组织如下：

一、边区议会的选举委员会，直辖于边区政府，委员由九人至十一人，由边区主席委任之。

二、县议会选举委员会，委员五人至七人，由区长呈请县长委任之。

三、区议会的选举委员会，委员五人至七人，由区长呈请县长委任之。

四、乡代表会的选举委员会，委员三人至五人，由区长委任之。

第十六条　选举委员会由政府及各群众团体的代表组成，其人员以在该地工作或居住的人民为合格，遇特别情形时可由上级政府从别处调去。

第十七条　各级政府现任长官，不得为各级选举委员会委员。

第十八条　各级选举委员会对于所辖选举区——边区选委对于县区，县选委对于区，区选委对于乡的选举，得委派选举人员组织各区域的选举委员会，进行选举，此项选委人选，该区域长官无须回避。

第十九条　进行选举的细则另规定之。

第七章　选举区

第二十条　边区议会及县议会选举，均以区为选举单位，区议会选举以乡为选举单位，乡代表选举以村为单位。

第二十一条　工人学生得以工厂学校或几

个工厂学校联合为选举单位，进行选举。

第八章　各级长官的选举

第二十二条　乡长，区长，县长，边区长官，边区法院院长由各级议员选举，但须得到出席议员三分之二以上的同意。

第九章　常驻议员会的选举

第二十三条　县议会闭会时之常驻议员，边区议会，闭会时之边区常驻议员，由各该议会自行选举之。

第十章　候选人的竞选

第二十四条　各政党及各职业团体提出候选人名单进行选举运动，在不妨害选举秩序下，选举委员会不加以任何阻止。

第十一章　补

第二十五条　议员因为离职或被撤回时，即由原区域或原职业团体部队选举人员另行选举之。

第十二章　经费

第二十六条　各被选举经费，由国府支付

之。

第十三章　附则

第二十七条　本条例自公布之日起发生效力。

第二十八条　本条例修改之后，在边区任议会未成立前属于边区政府，边区议会成立之后属于边区议会。

选举委员会工作细则（附录四）

第一章　总则

第一条　根据选举条例之规定，为便于选举委员会的工作起见，特另行颁布本工作细则。

第二条　边区主席团，有停止或修改本细则之权，并有解释关于本工作细则的疑问，或争执之权。

第三条　本细则施行陕甘宁边区内，一切

选举委员会都应遵照本工作细则进行工作。

第二章　选举委员会的工作人员

第四条　委员会，按照选举条例产生之后，委员之间须即进行分工，每个委员应担任委员会的一部分工作。

第五条　选举委员会的委员，不脱离生产，在办理选举期间可暂时解放他所担负的工作专门来进行选举工作。

第六条　可酌量任用技术人员，如文书印刷登记员之类，但在可能范围之内，可利用区政府或城市政府的技术工作人员。

第七条　委员会可在区乡政府的地方办事，不必另设办事处。

第三章　选举前的工作

第八条　在未开始选举的两星期前，须在该选举区域内实行选民登记，对于登记工作，如没有组织的选民，选举委员会可任用登记员进行之，有组织选民，可委托该组的负责人进行之。

第九条　登记须按照中央内务部所颁布的选民登记表填写之。

第十条　登记完了之后，由选举委员会指定委员审查登记表。

第十一条　等审查完了之后，须将有选举权的选民公布，在选民所在地，或坪场张单。

第十二条　选民名单须在选举大会前三天发表。

第十三条　在未选举前，须将选民交给代表带去的提案的草案预备出来，并在选民所在地公布，使选民预先认识其提案。

第十四条　选举委员会，在未开始选举前，应将该区域内各个选民大会的选民总数，应代表和议员的人数公布，并将被剥夺选举权者名单经过当地政府公布之。

第十五条　在开选举大会的前三天，须布告开选举大会的地点和时间。

第十六条　须先将会场布置好，看守会场门的人，和进会场的登记人预备好，选民进会场时，须照选民的名单放进。

第四章　选举时工作

第十七条　无论那个选举大会，选举委员会的主席或派全权代表去出席大会。

第十八条　由选举委员会主任或全权代表宣布开会，在宣布开会后，须宣布到会的人数，是否已足法定人数。

第十九条　选举委员会的主任，或全权代表，一定为选举大会的主席。

第二十条　选举大会议事日程第一项应由选举委员会主任或全权代表根据选举条例第四章之规定，宣布什么人有选举权和被选举权，什么人被剥夺选举权和被选举权。

第五章　选举后的工作

第廿一条　选举委员会，须将关于选举的文件（如选民登记表，选举大会的记录，进行会场登记表等）汇集起来，交给区政府（苏维埃）或城市政府以便检查。

第廿二条　选举结束后，选举委员会须向

区政府，或城市政府做选举总结报告，对选举所用的经费须对区城市政府详细的财政报告。

第廿三条　选举结束之后，选举委员会须将工作结束，所有选举委员会所购置的东西全交区城市政府。选举委员就宣布停止工作。

三、大众的文化教育

在红色战士没有到过这儿之前，这块陕甘宁边区简直谈不上什么文化的，据统计，在边区管辖下的二十余县中，人口的总数约有九十五万，在九十五万人口当中，原有的小学校不上二十个，中等学校除延安和绥德（绥德算是陕北最富庶的县份）两县外——别的县份是没有的，文盲占着全人口的百分之九十五以上。

由于过去文化这样的低落，假如你要苛求现在边区的文化水准怎样高，那自然是不合实际的。但是由于这一二年来的努力——特别是一九三七年进行普及教育突击年以后，边区的大众文化，已经提高到全国一般的水准之上了。文盲虽没有全部消灭，而大多数人民都已认得了字，看得懂通俗的报章，他们在开始过着文化的生活了。

（一）小学，夜校，半日校的发展状况

全边区的小学，现在已经有三百个以上，比起两年前的情形来，是增加了二十余倍。不过学生的人数还不算多，统共只有一万多人。

能够表现出边区大众文化教育活动的情形来的，不在于三百多个的小学校，而是在于夜校，半日校，识字组和冬学等等最下层的文化教育活动。

夜校和半日校是补习教育的性质，因为边区地广人稀，由于物质条件的限制，固定的学校还没有普遍的建立起来，同时青年儿童或成人都要从事生产，不能有整天的工夫来上学，为着不使这许多没有工夫上学的青年，儿童或成年失去读书识字的机会，在工作之余来读书识字，夜校和半日校因此就到处的设立着。在普及教育突击年中，动员了青年，儿童及成年，妇女六万人以上踊进文化的战线。

（二）织字组的活动

识字组是以行政村为单位而建立起来的，是一种最

基本最下层的文化教育活动。每组人数从五人至十人，由全体组员推举一个组长，以督促全体组员经常进行识字，每三天或五天由组长发给一次纸条或识字课本，规定每人每天识多少字，到时间后，举行检查并测验识字的成绩，成绩好的给予口头上或物质上的鼓励。

这种识字组的活动方法是很灵活的，并不需要很多的人去专门做识字运动的工作，各地的小学教师和民众团体，如青年俱乐部的各种小组，都要进行识字运动的工作。

值得特别注意的，是采用小先生制度。所谓小先生制度就是一种随学随教的办法，识得多的去教识得少的，识得快的去教识得慢的。譬如一个小孩子，他已经识得一百字以上，能读又能写，那么他就可以去教别人了。小先生不仅一面自己学习一面教别人，而且回家去的时候，教他不识字的哥哥弟弟或邻居的儿童，劝他们加入识字组。所以小先生这个名称是很荣耀的。他成为儿童中的模范，乡村中的大大小小没有不喜欢他看重他的。小先生制度在识字运动中起了很大的作用。

还有识字英雄，那是更荣耀的名称。在识字组中成绩最最好的就有这个称呼。譬如黄家村有五个识字组，规定每个组员每月识一百个生字，许多组员到了一个月，有已经识得一百个字的，也有只识得几十个字的，并且有能活用的也有不能活用的，而黄小葆一人特别用功，他所认得的字不仅是一百，还要超过原来规定的数目很多，不但能读能写，而且能够很自然的活用，于是黄小葆就称作“识字英雄”了。识字英雄可以得着许多奖品，以引起别的组员个个都羡慕识字英雄，个个都努力学习识字英雄的模范。

鼓励识字的方法还有一种，那就是经常举行成绩比赛，区与区和乡与乡之间的比赛，小组与小组和个人与个人之间的比赛，将个别的模范例子和识字的经验，特别加以发扬和鼓励，造成每个角落里对于识字运动的浓厚空气，提高群众的识字热忱。所以许多青年，儿童在务农或放牛放羊的时候，也不忘记学习识字，常常用小木炭当笔杆在石头上学习写字。如果三四个人凑在一起的话，他们好像开讨论会似的彼此互相问答。

边区的群众热烈地参加识字组的情形，还可以举识字突击月的事实来说明的。

去年九月是边区教育厅定下的识字突击月，规定在识字突击月中，全边区发展识字组组员三万人，按各地情形分配，编印了好几种的识字课本，课本是用汉字编的，生字的旁边则有新文字的注音，所采用的字都联系着日常生活和抗战动员的意义，例如：“军队吃的东西是农人种的，穿的衣服是工人做的。军队要帮助工农保乡土，帮助全国人打日本！”

这个识字突击月的计划通知到各地之后，经过了各群众团体的活动和当地党的帮助，便很快的完成了计划，而且数量超过了很多，如关中四县原规定在突击月中消灭三千文盲，由于当地文化工作者积极活动的结果，参加识字的人数竟达八千以上。突击月结束之后，边区党委和教育厅对于这工作作了一个检讨，兹将其原文录后，借以窥见每个工作的前因后果。

识字突击月的总结

（上略）

根据各县的报告，一般地说来，突击月的工作，大都是超过原来的计划。尤其是安定，延长，安塞，新城和关中四县，以及陕甘宁分区，在数量上，差不多都超过原来的计划三分之一，而且吸收了大多数的妇女加入识字组（如安塞识字组员四千六百五十五人中，有一千三百四十九个是妇女，新城二千六百一十一个识字组员中，有七百一十五个是妇女）。并且各县都成立了识字促进会，把识字运动广泛地扩大起来。在组员识字的程度上，有的认了四五十字的，有的认了七八十字至一百余字的，也有最好已经认了二三百字，或把农村识字读本完全认会了的（如延长县一千一百余人中，有五十余人认会了五百字的汉字读本，五十余人认了二百至三百个的汉字，一百余人认了八十个至一百个汉字，一百余人认了三十至四十个汉字，其余均是十个至二十个）。也有许多地方产生了不少识字英雄，自己认会了农村读本之后，还去教别人（如延长城市西街妇女组员雷凤祥，康秀英等）。这些都是这次突击识字运动中不可忽视的成绩。

但它的缺点仍是很多，我们必须指出来：

（一）数量发展得不平衡，有些县份在数量上虽然超过了原来的计划，甚至有些地方到现在还没有确实的报告。布置工作的时候，事先没有经过很好的宣传解释工作，以致许多地方的群众，因为秋收农忙，便不愿来参加，或是参加了几天就不来了。

（二）没有实行严格的检查制度；许多地方的识字组只是有名无实的东西，在所报告的数目字中，还不能保证三分之二的实际识字人数。

（三）没有很好的把抗战和民主运动的政治内容配合起来，单纯的使组员认了几十个字就算了事，甚至有些地方因为用了冬烘先生去教的缘故，竟采用了开倒车的旧教材（如陕甘宁分区定边等地）。

（四）有许多地方没有采用小先生制和动员小学教师的缘故，以致因为教师的缺乏，便不能开展识字运动，或用冬烘先生来代替。识字促进会的组织不普遍和促进工作的不积极，不能起实际的督促和帮助的作用。

（五）各区和各乡之间还没有举行竞赛，不能把成绩好的区乡作为模范，去影响成绩坏的区乡，以致有许多地方的识字组成了空架子，组员连十个字都认不上的也有。

（六）各处乡间的教职员没有联系，不能很好的来交换经验和意见以求改进。

以上指出的缺点，各县中或多或少都是免不了的，但我们不能因为有这些缺点而抹煞识字突击运动的成绩，它扩大并提高群众的识字热情，给冬学运动打下了很好的基础，便利了冬学的进行。我们正要承受这经验来消灭文盲，提高群众的文化政治水平。我们为着争取抗战和民主的模范区而奋斗！

（三）冬学运动

冬学是利用农民的冬闲时间来实施民众补习教育的方式之一。边区气候严寒，农民的冬闲时期是很长的，从十月到明年的二三月这个悠长的时期中，差不多都不能从事耕种，所以边区教育厅对于冬学是异常重视的。过去一二年，边区也曾有过冬学的创办，并且也收到相当好的成绩，不过还没有成为一种普遍的运动，现在边区教育厅更规定它为经常的一种学制，在抗战动员中，使冬学成为消灭文盲，普及国防教育的有力工具之一。

当识字突击月的工作结束之后，边区政府的教育厅就开始布置冬学的工作，召集了各县的教育科科长，开了三天的大会，讨论了多设办冬学的方案，编印了十几种专作冬学之用的课本，如国语，政治常识，珠算，防空防毒，自卫军，唱歌……等。

关于怎样办冬学，也和其他的工作一样，上级机关对于下级是有详细的指示的。为着要在这里得到参考材料的朋友们便利起见，特将其布置工作以及怎样进行工作情形加以较详细的叙述。

在一本油印的冬学须知里，差不多把怎样办冬学的问题都提供出来了，兹将摘录其中重要的几项。

怎样发动群众来组织冬学呢？

过去在检讨识字运动的工作中，发现我们的宣传动员工作做得很不够，有的群众还没有了解识字运动的真正意义，没有造成群众对于识字运动的热潮，以致积极来参加，为了要纠正过去的错误，使冬学工作能完全依靠群众的自动性展开识字运动，我们要注意下列几点：

（一）以乡或村，窑为单位，召开群众大会，向群众解释冬学的意义及识字的重要性；特别要利用原有的组织（如识字组，促进会，农民班，或日校，夜校等）为骨干，各县，区，乡应有计划的派人去领导群众大会。

（二）群众大会中，以民主的方式选举冬学委员会（当选的人要在群众中有威信的，做事负责的，而不是只会说漂亮话不会做实际工作的），每乡的委员人数看人口的密集程度和地域的大小来决定。这个委员会要成为冬学计划和执行的机关。

（三）尽量避免教育机关促进会等包办方式或强迫方式，在动员群众加入冬学时，应和各群众团体取得联络，特别是自卫军，农民会，妇女代表会，工会，乡村支部等。

（四）成立冬学委员会后，立即讨论实际的办法，如决定开学时间，冬学地点，房子，人数，经费，教员等事情，具体的讨论出结论来，就是说要定出合乎当地的实际情形的工作计划。

冬学的必要条件是什么？

第一是地点。冬学的地点应该选择人口比较集中的地方，人口多的县份，以乡为单位，人口少的则以区为单位，几乡合办一个，最好能设在原有的小学附近。

第二是经费。学生的费用如粮食，纸笔等，必须说明理由由学生自己负担，至于冬学内的费用如油灯，柴火之类，都可以由学生自己讨论办法，在自愿的原则下来解决。绝对不可强迫。至于教员的生活费也应尽量争取群众的帮助，实在不足时则由教育厅津贴。

第三是课本。冬学的课本概由教育厅发给，但因纸张昂贵，为节省经济起见，办冬学的人要注意课本的效用，不宜浪发，并且要好好的保存，发出之后须有登记。叮嘱学生爱惜。

第四是教员。要把冬学办得好，必须选择有能力的教员，不仅要选择文化的程度够得上教课的，并且要有政治认识清楚的同志，才能善于领导群众教育群众，除预先选择教员时，须认真合乎条件的外，还须经常以区为单位召集冬学教员联席会议，十天检查并督促一次，经常给冬学教员以个别的具体指示。必须使教员与学生之间，建立非常正确的亲密联系。冬学教员应有下列的起码条件：

（A）能读《新中华报》或看简单文件的；

（B）思想观点正确能刻苦耐劳的；

（C）有积极性善于组织群众的；

（D）身体健康的。

冬学的课本和教员

冬学的课本有新文字的和汉字的两种，依照各地的环境和需要而分配，如某些地方有新文字的教员和群众要求新文字，那么就用新文字课本；有些地方有许多教员不懂新文字，群众又不喜欢，那么就用汉字课本。

教员如本地不能解决，则由教育厅供给，教员不单教学生识字认书就算了事，还要作抗战动员工作中的群众领导者，同时必须使教员成为全村全乡的群众工作的一个干部，所以教员必须参加各种社会活动，并且要在群众中起着模范的作用，教员的责任是很重大的。

学生和教员的联系

一个教育工作者最主要的是要和学生的生活打成一片，要了解学生的生活思想情绪，并切实的帮助他们解决困难，这样，群众自然会援助你。如教员和群众的关系能够密切，冬学的费用和教员的生活费自然也会得到群众的帮助和支持，不成问题的，教员在讲授时，切忌单单呆板的背诵课本，要和学生的实际生活联系起来，比如教一个字，就要将这个字联系到生活中如何运用，并要实习运用。

在课外，教师要经常的指导学生活动，参加一切学生会议，学生并应组织学习小组，每组设一组长，领导学习，每礼拜开会一次，经常检查并推进学会工作。

教员的教授法特别重要，在没有上课之前，要先准备好怎样使学生了解，怎样发问学生引起学生学习的兴趣，怎样举例子解释课本的内容。怎样通俗化，怎样使他们善于自习等问题都要细心的去研究。

学生的班级以文化水平为标准，以便利教授。冬学内可照自卫军的编制，临时编排班，请自卫军的连营长来上军事课。学生在课外还应该有生活检讨等会议，教员要切实去指导，培养集团的思想和意识，过有纪律的生活，但纪律须建立在自觉的意义上的。

冬学的数量和数量的分配

全边区准备办五百个冬学，各县的分配数目约略规定如下：延安六十个，延川三十五个，延长十个，安塞三十个，保安十五个，安定五十个，靖边二十五个，甘泉十五个，鄜县十五个，红宜四十个，神府四十个，三边五十个，关中一百个。每个冬学的学生数，最起码的限度要在二十人以上。

冬学的教员训练和检查督促工作

冬学的教员训练，要利用每星期日的假期举行附近各教员的联合会议，相互检讨上星期工作，布置下星期工作，由教育科或区公所负责召集，倘若有些地方已成立小学教师联合会组织，则冬学教员应一概加入这联合会，作为教员自身学习和研究学术的团体。冬学成立后，还需要各级教育科定时的去检查和督促，区每星期应检查一次，县则每半月检查一次，毫不松懈的加紧政治上，组织上，工作上的一切领导。

冬学的口号

（一）教育工作人员的：

1. 争取今年的冬学成为抗战动员的战斗学校！

2. 为完成五百个冬学而斗争！

3. 彻底检查与转变各区乡的教育工作！

4. 反对空洞的数目字，工作要实际化！

5. 为消灭文盲的普及教育而奋斗！

6. 为实行彻底的国防教育而奋斗！

（二）关于群众的：

1. 冬学是民众读书的最好机会！

2. 冬学是普及国防教育的战斗学校！

3. 每个公民要参加冬学！

4. 参加冬学使自己成为模范的公民！

5. 文化教育和劳动打成一片！

6. 教育与生产取得联系！

7. 开展冬学运动为着争取抗战的胜利！

8. 冬学是边区人民争取文化教育的好机会！

6. 反对不愿学习的落后分子！

要保证冬学的全部胜利，必须反对在抗战动员中忽视国防教育的各种倾向，克服对冬学怠工或不重视的各种现象。应以最高度的积极性，义勇坚决的为消灭文盲，完成冬学计划而奋斗！

以上是边区教育厅对于冬学工作的计划和布置，现在让我们来看看工作布置之后的实际情形到底是怎么样的。

不久在《新中华报》上我们就寻常看到各地冬学运动的消息，如某县已完成计划呀！某区已超过原定的数目呀！最有趣的是常常有这一县向那一县或者这一区向那一区挑战的情形。报纸上常常有挑战书露布，所谓“挑战”，就是甲向乙或乙向甲要求竞赛工作的意思。下面就是挑战书之一。

延长县向延安县提出坚决完成冬学任务的挑战书

延安县政府主席并转第三科科长同志鉴:

我们为了有力的回答边区教育厅提出开办三个月冬学任务的口号，为了很快的有力的推动与完成抗战动员的工作，争取前方的抗战胜利，所以我们很愿意提出关于冬学运动问题与贵县订立竞赛条件去进行。其竞赛的主要条件是:

一、我们应坚决完成边区教育厅办冬学的号召。

二、旧历年节冬学不散学，只放三天假，并争取过年时教员不离校，以保证冬学的继续和不间断。因为冬学是有时间性的，特别在今年负有推动抗战动员工作的完成使命，当然冬学运动应当刻不容缓的加强努力进行。

三、冬学运动既是推动抗战工作的，所以要保证各冬校中各职业团体的参加，如工人，农人，自卫军，少先队，妇女等，造成广泛的群众文化运动，确实的负起抗战动员工作的任务。

以上各条件，贵县是否同意与我们实行竞赛，如果同意的话，双方请教育厅作评判，咱们两县实行决战好了！特此立候回信。

并致：

民族解放的敬礼！

延长县政府第三科科长白世杰

冬学工作进行一个月之后，有的地方是超过了教育厅的原定计划，有的地方仍有尚未完成原定计划的。根据一月底的统计，全边区已成立的冬校计有五百〇五所，学生七千七百五十名。照学校的数目是已经超过原来的规定了（原规定五百个），而学生的人数还是不够的。

边区每个工作都有严密的检查，这大概是一切工作都能做得切实的原因之一吧。同样的，冬学运动他们也是注意检查的。根据了检查和报告，他们发现了冬学运动的缺点，于是就提出批评和纠正了。

下面是教育厅给各地冬学教员的指示信。

亲爱的同志们：

在我们坚苦的奋斗下，我们的冬学已经获得了相当的成绩；尤其在冬学的数量上好些地方都大大的超过了预定计划——如鄜县冬学数竟超过四倍，靖边我们计划成立十五处，而现在已成立了三十二处，另夜校五处——我们每接到同志们充满着这佳音的报告时，我们是多么欢欣兴奋啊！尤其延师鲁师的同学们离开了学校而进行着那种坚苦的下层工作，尤令我们佩敬！

不过看了同志们的报告，和听了巡视员的谈话，对冬学我们尚有一些意见，要同志们来讨论：

第一，许多同志们把冬学运动的对象弄错了：我们知道冬学是一种补习教育，它的主要对象是失学的成人青年。因为过去边区的群众受着经济的压迫与文化的统制，造成了西北文化的落后——群众百分之九十以上是文盲，现在群众虽然分得了土地，生活大大的改善了，但是广大的文盲们也还不能完全放弃生产而来学习。因此，我们特在冬收完毕农暇之际举办冬学，给群众以抗战知识与技能，武装他们的头脑，配合着一切抗战工作，争取我们抗战的最后胜利，但是据最近的检查，大部分的区域却忽视了这点——没有动员成人青年文盲进学，所招收的绝大多数是能够进学校的儿童，这是我们冬学运动一个严重的缺点。

那么，这是不是要不得呢？儿童是不是不应该进入冬学呢？“不”，我们响亮地回答：这，表现着我们过去对小学校教育做的很不够，更表现着对乡村办学的迫切，在有小学校的地方我们应该把冬学里的儿童转送到小学校去，把小学校充实起来，没有小学校的地方，儿童是可以（而且应该）进冬学的，不过我们不要忽略了我们主要的对象。

同志们！冬学的时间已过了五分之一，我

们应该火速的克服这个严重缺点，——在各组织中加紧解释动员失学的成人青年(尤其妇女)来进冬学。

在动员中我们要克服成人青年的不正确心理，他们（尤其是成人）一般的都有这样不正确的心理:“年纪大了还学习干吗？”“年纪大了学不会了。”“年纪大了学习怪不好意思，怪难为情的。”

若果成人青年真因工作繁重白天不能来进学，我们也应该设立半日校，夜校以适应他们，使他们有机会来学习。同志们！我们的冬学口号（中心工作）是把冬学运动由儿童转向成人青年去。

第二，据报告，各处学校的数量上虽获得了相当的成绩。但学生很多还不能达到规定数。这一方面，因边区地广人稀，人口不集中，但另一方面却是我们动员工作做得不深入，动员方式太呆板。我们应该通过各种组织（如青救会，工会，妇女会……）去动员。我们应该抓住识字与群众最切身的话（如现在北平天津出的票子不用了，不识字的就会常上当，一元同五元的票子不识字的人分不开……）去打动他。我们更应该动员我们自己的学生去做宣传员，由学生去宣传学生的伙伴是很有效的。

同志们：我们应以飞机的速度来完成学生的规定数。

还有许多学校初开学时学生很多，但慢慢地少了。“留学生问题”这是很重要的。

第三，教员的粮食应极力争取由群众负担。本来办理学校经费，是应由政府供给的，但现在抗战期中，政府经费非常困难，一切费用都要由政府供给实不容易。因此我们的粮食，应极力在群众中想法。我们好好的向群众解说，另方面在冬学里表现我们的成绩，群众定能被我们感动。尤其丰收的今年，每个月只要学生家庭出半升米，一定是不难的，例如甘泉这次成立了十六处冬学，除了一二处因动员太差而要求政府稍为津贴粮食外，其余是不成问题的。尤其如马家河，孙家河等处，连一切问题（粮食，津贴，办公费，火食……）都能完全在本地求得解决，当我们去检查时问他们有什么困难没有，他们说：“没有什么，我们只希望教育厅能够发给我们一些课本。”

同志们！在政府经费困难的目前，我们应该多方面去想法解决我们的粮食问题，绝不要先存着“群众中不能想办法，政府一定能发给”的心理。困难是有的，但并不是不能克服的，同志！努力吧！

在这封信里，指出了工作的弱点，但也可以看出在经济条件极度困难的边区，进行大众文化教育工作是要加倍艰难的。

经过了纠正之后，后半期的冬学工作是相当的进步了，不仅动员了较多的成年和妇女参加冬学，并且造就了许多识字英雄，在冬学中识了五百个字会写会用的人数在每县中均有几十个。总之，冬学运动经过这样认真的上下动员，是能完成了原来计划的。

（四）救亡室的活动

救亡室是各团体中一种文化生活的组织，在边区是很普遍的，其性质跟从前苏区的列宁室大体相同。无论在工会中，农会中，或者军队和学校中，以及政府的各级机关里，照例都有救亡室的组织，每个团体的职员都要参加救亡室的活动。

每个救亡室也就是每个机关的图书馆和娱乐室，规模的大小是要看那机关的大小而定。它的场所经常是选一间比较宽敞漂亮的房子，里面贴着孙总理，蒋委员长或列宁等伟人的照像和各种救亡的标语，挂图，陈列着各种图书和娱乐品。在那里可以作各种的娱乐，如歌唱，弹琴，下棋，打乒乓之类。在边区，娱乐是离不开教育的意义的。

救亡室的委员是就团体中推选出来的，分工合作的管理着救亡室的事情。委员的人数也要看这个救亡室的规模之大小而定。普通分为文化教育，娱乐体育，墙报，图书等等部门。

每逢有历史意义的革命纪念日，救亡室的工作是特别紧张的，出墙报，开晚会，演剧等等都是它的工作。

墙报在边区是很发达的，街头巷尾可以看到各种各式的墙报，但我这里所说的是救亡室里所张贴的墙报。无论那一个团体的救亡室，照例都要出墙报的，而墙报的稿子则是动员整个团体成员来写的。不管你是伙夫或勤务，也不管你写得好不好，每出一回墙报，你就得写一篇文章，这是给每个人学习写作的机会，边区里锻炼出来的文化干部，大多是这样学习成功的。我曾看过许多“小鬼”——小勤务兵的文字写得很流利。他们不但能够写出自己的生活经验，并且也能简单的分析时事，说出每个革命纪念节的意义。墙报中最特色的，就是表现着生活检讨和自我批评的精神；那个的生活如果对于集体的利益有妨害，就会在墙报上反映出来。

（五）开晚会和演剧

晚会是一种集体的娱乐，经常地举行的，特别在延安，每逢一个纪念节，不消说是有一个盛大的晚会，就是在平时，差不多每星期都要举行一二次的。例如从外地来了一个民族英雄，为了表示欢迎就要开晚会了。

学校里的晚会更多，有规模很小很简单的，也有大规模的，不一而足。晚会是为了娱乐而开的，在娱乐之中所包含的意义，不消说是提高抗战的教育。

晚会中的节目有歌唱和舞蹈等，最主要的自然是演剧。

演剧在边区是要超过其他文化活动的，光在延安就有好几个剧团，规模比较大的要算“边区抗战剧团”了。虽则由于物质条件的限制，舞台，道具，化装，灯光等等，都很粗陋简朴，因而也谈不上艺术的最高成果，然而所演出来的戏都能吸引观众的，因为题材都是活生生的实际生活，和大众的日常生活融洽在一起。对话也比较通俗化，为观众所容易了解容易接受的。每个剧本都带有抗战教育的意义，尤其富于鼓动性和宣传性。例如有一次抗战剧团演出《当八路军去》，当场就有数十个观众报名，加入八路军。戏剧运动和抗战动员的工作也是紧紧地联系着的，戏剧这一个犀利的宣传武器，是被充分地应用起来了。

边区的党政当局，对于戏剧运动是很注意的，这大概就是戏剧在边区之所以特别发达的原因吧。在边区物质条件这样艰苦的情形下，今年的“一·二八”纪念时，中央宣传部竟化了二百多块钱作戏剧周的舞台设计和服装的费用。在平时，规模稍为大一点的晚会，差不多都有许多重要的人物来作观众，特别是毛泽东先生，经常出现在晚会中。他们和一般的观众一样的平凡，一点也不像要人那么神气，他们安详地看完每一节目。假如他们觉得剧中的情节和抗战动员的意义有所抵触时，或者认为还不能为大众所接受的，在晚会完了之后就提出来批评。自然他们的批评多是从政治的立场出发的。记得西北战地服务团第二团准备出发的时候，也开了一个晚会，将他们排演过了的五出戏来公演，许多的重要人物也来参观了，他们看完了每一幕，觉得有许多问题，而且演得不成功，就劝告他们暂停出发，结果这个战地服务团一二月之后还逗留在延安。这说明了他们对于戏剧这个犀利的宣传武器，是异常重视的。

四、抗战动员种种

对边区怀着好感的人，常常说“那是抗战动员的模范区”啊！人们总以为这样说的人是有某种的宣传作用，过分地夸张了，我先前也是这样感觉着的。但是我到这里观察了一个时期之后，觉得在许多地方确是可以作为我们的模范的。平心而论，虽然全国都在进行动员民众，但我们仍没有看见过别的地方，像边区这样，整个地浴在抗战动员的气氛里。

在边区，无论那一个抗战动员工作，只要政府一号召，群众没有不热烈拥护的。因为政府和人民是打成一片了。边区到底怎样的在动员抗战呢？我们当然不能否认事实的。首先我们分下面几项来说明边区抗战动员的实际情形。

（一）救国公粮的征收

为着保证抗日的需要，为着供应前线部队和留守部队的给养，边区政府于去年十月颁布了征收救国公粮的条例，在有力出力，有钱出钱，有粮出粮的总动员原则下，号召全边区人民自觉地缴纳救国公粮。

全边区征收救国公粮的数额为一万五千担。

边区除了盐税一项每年约有二万元的税收外，是没有其他杂税的，人民早就从重重叠叠的苛捐杂税里，种种的封建剥削下解放出来了，如今为了保卫边区，为了抗日救国，人民对于救国公粮的征收，一般地说来都很踊跃捐输的。

救国公粮不是土地税，因为是采用实物征收的方法，并且只适用于抗战时期，其性质仿佛同中央政府发行的救国公债相似，其用途同是抗日救国，但救国公粮的征收方法和救国公债又不同，它是划一征收的。其征收标准以秋收之后，每人的平均实际收成数量计算，但缴纳时则以家为单位，将全家人口应缴的数量合并起来缴纳。

照条例第五条的规定，每人一年之内所收各种粮食，合计不满三百斤者免收，三百斤以上至四百五十斤者征收百分之一，四百五十一斤至七百五十斤者征收百分之二，七百五十一斤至一千零五十斤者征收百分之三，一千零五十一斤至一千五百斤者征收百分之四，一千五百零一斤以上者征收百分之五。

依靠出租土地而收租生活的地主，其每人所收租粮虽不满三百斤者，亦得征收百分之一，三百斤以上按照条例第五条所规定加倍征收。但如孤寡老弱残废，因缺乏劳动力而出租土地的人民，一般不当作地主论，按其情形，得照普通缴纳，或免缴纳。至于自己没有土地，或只有很少土地，主要是依靠租种地主的土地为生活的佃户，则照普通减半征收。

为着优待抗日军人及边区工作人员家属起见，不论他们的土地是否出租，其应缴的救国公粮均照普通征收，有特别情形者，则可以免纳。

实行征收的手续，则是确定了每人应征收的数量或免征之后，由缴纳人送到边区政府所指定的地方缴纳，由群众推举代表办理，县政府也派员专办理征收事宜。

粮食收齐后，储藏在一定的仓库里，各分区均设有仓库，财政厅则设有总库，都是供储存救国公粮之用的。

在征收的过程中，如发现隐瞒不报者，则加倍征收，以多报少者加倍补征其少报部分，不照规定期限缴纳者，除令照缴外，另照应征数量加征百分之三十。这是一种罚则。

征收救国公粮是边区抗战动员的中心工作之一，和其他工作一样，首先要做普遍的宣传解释工作，使群众普遍的了解缴纳救国公粮的意义。

这个工作原定在去年十二月底完成的，但因为整理自卫军少先队，归队运动等等抗战动员的工作，都在这时期里同时进行，有的县份是如期完成或超过了，但有部分的到了今年一月初才完成的。群众在这次缴纳救国公粮中表现了异常的兴奋。

举延安县的情形来作例子吧。

该县征收救国公粮工作，到十二月初才开始突击，由于各方面的努力，只有四天半的工夫就把工作完成，而且超过了计划。按延安县全县人口约三万二千余人，每年出产粮食二万六千三百余担，原定计划拟征收一千五百二十担，结果完成了一千六百三十六担，其中，按比例征收的占百分之二十四，自动缴纳的占百分之七十六，全县按照征收条例应予免收者，有二千零七十家。

为什么有这样的成绩呢？

第一是动员工作的深入，群众不但普遍的了解征收救国公粮的意义，到处可以听到互相鼓励缴纳救国公粮的话，而且创造了许多模范例子。如中区裴家河有一个姓裴的，一年仅收到三斗粮食，但他为着表示抗日救国的热心，一定要缴纳几升，同区有一家，父亲把收成的数量以多报少，企图少纳公粮，儿子则向他斗争。又如在南区的群众大会上，许多的群众异口同声的站起来说："我们要多纳公粮，帮助政府抗战。"再如北二区有个从前的地主，把粮食埋藏地下，避免征收救国公粮，群众把它掘了出来。更有些群众能够自动起来负责准备工作，如北二区南区政府的工作人员还没有去，他们已经把各家已收获到的粮食数量调查好了，在这里表现了群众的力量。这次征收救国公粮的工作中，妇女联合会，工会，农民会等，起了很大的作用，例如妇联会当此项工作刚动员的时候，本身先开会来比赛执行这个工作，然后再在群众大会上尽量的影响男子。

第二由于正确的领导向这一目标突击，动员各个组织，有很严密的计划，很正确的估计和适当的分工。政府及群众团体都组织了工作组，进行催促及检查工作。还有干部的模范作用，也是一个有力的因素，有些干部自从接到这样的任务后，连饭都不吃的去动员，如中区四乡，只有一天就完成了一乡的计划。东一区有一个工会的组织干事，自己没有种粮，用钱去买粮来缴纳，北一区一乡有个共产党的支部书记，自己是脱离了生产的，公家每月分给他三斗粮，他竟缴纳了二斗，因此，影响了全乡的群众踊跃地来缴纳公粮。诸如此类的作风，实在值得全国从事救亡工作者学习的。

（二）节省运动

节省运动原是革除靡费的意思，而边区的工作人员，都是没有薪俸的，普通每月只有三二元的津贴，头颅曾经标过二十五万元代价的共产党军委主席毛泽东和中央书记洛甫，每月的收入也不过五元而已。而吃的穿的都是人们所不能想像的粗粝——一般工作人员每人每天一律发小黄米一斤四两；而菜钱的分派是有分别的：普通机关每天三分，边区政府每天四分，武装队伍每天五分，陕公抗大的学生每天七分，医院的病人每天一角。平心而论，这是中国人的生活水准之下的生活，实在说不上有什么靡费了。但是边区政府的财政却是异常的困难，为了适应日益扩大的抗战形势，争取抗战的胜利，节省一切人力财力，以增加工作效能，充裕抗战经费，是每个中国人所应当躬体力行的，边区的工作人员，在这样的意义下他们提出了节省运动，从他们的最低度的生活水准下节省一切的费用，这是值得我们效法的。

一切的运动都要从组织上的动员，才能有效地达到目的，节省运动也不能例外，他们成立了节省运动委员会，以推进工作。

怎样在机关中推行节省运动，节运委员会决定了下列的二个原则。

一、人力方面，严格执行编制，不得自由

增加人员；

二、资材方面，不论纸张及一切不需用之费用均应节省，严格的执行预算，没有预算的不开支。

有一个工作人员叫做钧涛的，当节省运动委员会成立不久之后，提出几个很具体的意见，说到各方面怎样来进行节省，后来便为各机关的工作人员所采纳了，这些意见虽则近乎琐屑，然在这些意见中，可以看出边区的工作人员是怎样地过着简朴的生活，表现他们为民族生存为社会事业而刻苦耐劳的工作精神。

首先说到纸张和文具的节省，各机关，部队和学校，应尽量避免用油印来印通知通令等文件。一般的通知和通令应用复写纸来誊写，发给各机关传阅，收发处收各种信件和文件时，应以很小的纸条打收据。各部门的总务部管理科，对本机关各部门的办公纸张，应每月规定数量发给，纠正无计划无数量的乱发现象。房间、窗子、及门窗应停止裱糊。如万一需要裱糊的，应以棉纸或废纸来代用。各机关所用的信纸信封，如不是对外有关系的，应一律用旧有的信封或废纸自造。杂务人员的文化学习，应利用废纸，或石板，沙盘，不要以为节省纸张就将各种工作放弃，相反的要将各种工作紧张起来。

各种文具，如红蓝墨水，墨汁，毛笔，铅笔等，过去是大量购买的，在战时运输不便经济困难的情形下，也应注意节省，必要时可用红蓝靛与明矾自制红蓝墨水。铅笔，毛笔应注意保存，不要随用随弃，每月所用的数量有一定的规定。

灯油和蜡烛，应该估计将来来源的困难，各管理科所属部门，应分别规定灯数，一般的卧室不发洋灯，洋油灯，以青油或麻子油来代替。并规定每夜的油量。如用蜡灯，亦应有规定，最多两夜或三夜一支。特别是电台机的消耗更大，要有规定和检查。各机关，部队应按规定熄灯的时间熄灯。

各文书印刷科，应注意写小字，过去一张很小的通知或文件，就要用一张蜡纸，这也是一种浪费，今后如果字数不十分多的通知，尽可能的用复写纸来代替。将来买不到蜡纸时，可以用毛边纸，复写纸也可以自制的。

粮食的节省，各机关过去非常忽视，常常招待不必要的客饭，以后对于机关间及部队间的来往，概不开支客饭，如因工作必要时，应以规定的伙食费收钱。对出发巡视工作的人员，应照规定发足粮食及伙食带去，只发路上津贴每天一角，到目的地后不发。该出发人员伙食粮食，应在整个规定人数内开支，不另报销粮食。

关于医药的费用，过去各机关所开支的，大多是休养费，或者作了其他的用途，真正购买医药的倒不多。以后对于病员应分别病况的轻重处理，重的送到医院里去休养，轻的则在附近的医务所诊治。如有特殊情形的干部，应由各机关负责人，呈报上级批准后，酌量发休养费，但最多不能超过规定数目。

特别费的开支，过去各机关也相当大的，大部分都用在奖品，招待费或会餐上面，一般工作人员会议也要会餐一次，以后各机关对以上各项开支，在原则上一律停止，除因对外有工作关系必须招待时，应经过批准后方可开支。

一切用品，不管是公家的或私人的，都要好好的爱护，冬天到了，棉衣棉被应由各供给部门统制筹备，不应各自为政的在各单位中自行购制。供给部门在事先应有很好的调查和统计，发衣服时应有登记，如调动工作时，在介绍信上要说明要不要发衣服，没有说明的，应由原介绍机关补发，凭私人的感情，自由分发的现象是要不得的。

这些节省运动的具体意见，大部分是执行了，一个月之间在延安市内他们就得到如下的成绩：

机关	办公费节省的百分数	什支费节省的百分数	特别费节省的百分数
警卫营	百分之十	百分之七十五	百分之七十四
保卫营（虽然有别的原因超过了预算，但是节省的成绩是不可否认的，如客饭，马干费，擦枪费均较上月减少。）			
一局与副官处	百分之五十	百分之四十	
二局	百分之五	百分之八十五	百分之百
三局	百分之二十四	百分之四十五	
政治部	百分之七十	百分之六十	

附：除上述三项费用外，还有客饭、马干等费用。各机关都没有超过预算。

上述节省各机关，以警卫营为最好，他们发动了战士自己动手修理与建造房屋，节省了一大批的修理费。虽然有这样的成绩，但仍有不少的缺点：

（一）少数部队仍然没有把节省造成为群众运动（如供给部），不需要的开支不设法避免，而浪费了。

（二）节省委员会的组织与工作不健全，没有与负经济责任的同志取得联系，以致有些用费还不知道。

（三）有些机关只是简单的说要节省，而没有具体办法提出，结果是没有多大成绩。

上面所举的数目字是开始一个月（九月）的情形，以后当然更有斐然的成绩可观了。

在这些叙述中，使人几乎不敢相信像那样的物质条件下，还可以节省，然而他们终于节省下来了。在长期抗战的过程中，我们将来可能遇到物质上的极度困难的，我们中华民族的儿女，如果都有边区工作人员那种简朴，刻苦的精神，那么一切的困难都容易解决的。我们学习这种作风吧！

（三）对抗日军人的优待

前战将士冒着头颅热血英勇地和敌人拼命，对于战士自身的民族意识之提高，固然是十分需要的，每个战士都能认清抗战的意义，为民族国家牺牲，才不至于临阵脱逃，给敌人以打击，最后战胜敌人，这是有赖于军队中的政治教育工作。可是对于抗战将士本身的利益也是丝毫不能忽视的，所以边区政府对于抗日军人，除了动员群众各种各式从精神上和物质上的鼓励外，则颁布了下列的抗日军人的优待条例。

边区政府颁布《抗日军人优待条例》

中华民族此次对日抗战，悲壮惨烈，亘古未有，前方将士报国之忠，赴义之勇，实足以动大地而泣鬼神，安居在后方的民众们，倘一念到前方将士牺牲如此惨重，试问尚有何物可以爱惜，何事值得留恋？为求尽一点未死者的责任起见，对前方为保护全民族生命财产而抗敌而受伤的殉难将士，应当替他们分担一点家庭的责任，照顾他们的妻儿。边区政府为了安慰已死将士之灵，激励抗战将士之志，特颁布抗日军人优待条例。

第一条，凡参加抗日战争将士及其家属均受本条例之优待。

第二条，各县县政府应随时调查登记抗日军人家属经济情况报告边区民政厅。

第三条，抗日军人在服务期间应受下列各项优待：

一、本人及其家属免纳边区一切捐税。

二、家属所居住的公家房屋免纳租金。

三、本人及其家属享受公家商店百分之一减价的优待，当必需品缺乏时有优先购买之权。

四、抗日军人乘坐轮船，火车，汽车其费用由公家发给。

五、子弟读书免纳一切费用。

六、因伤病须休养时休养费用由公家供给。

第四条，抗日军人服务五年以上年满四十五岁者可退职休养，公家助其终身生活，本人不愿退伍，愿继续服务者，应得特殊优待，由民政厅发给特别优待证书。

第五条，抗日军人家属缺乏劳动力耕种之土地，边区人民应尽代耕代收之义务。

第六条，抗日军人战争中牺牲或在服务中因劳病故者，依下列各项抚恤之：

一、凡死亡将士应将其死亡时间地点，战役功绩由政府汇集公布。

二、死亡将士之遗物应由政府收集在革命历史博物馆中陈列以表纪念。

三、死亡战士应由当地政府帮助收殓并立纪念碑。

第七条，抗日军人死亡或残废者其家属优待办法如下：

一、子女弟妹幼小的免费入政府设立之抗日军人遗族学校直到年满十八岁由政府介绍职业为止。

二、仍继续享受本条例关于优待抗日军人家属之规定。

第八条，抗日军人因战争受伤残废得入残

废院休养，一切生活费用由国家供给，不愿居残废院者由政府按年给终身抚恤费，其详细办法由边区政府民政厅定之。

第九条，本条例自公布之日起施行。

精神上的鼓励，例如当部队出发前线时街头巷尾贴满了欢送的标语，开晚会演剧，群众打锣打鼓放鞭炮欢送，造成热烈的空气，使抗日军人感觉到自己上前线杀敌是一桩极光荣的事。

抗日军人家属，在上列的条例中载明种种的优待之外，不久延安还成立了一个抗日军人家属学校，凡是抗日军人的妻子弟妹都可以在那里免费受教育。

去年的年关，边区政府更发动了广大的募捐慰劳抗日军人家属运动，成绩很好，结果抗日军人家属每家分到了布一匹，现钱二三元，食盐二三斤，猪肉二三斤，安稳愉快的过了一个新年。

至于“义务耕田队”，“杂务队”，“妇女生产学习小组”等组织，完全都是执行优待抗日军人家属的工作的，凡是五十岁以下十六岁以上在后方的男人都得参加义务耕田队，帮助抗日军人家属耕田，下种，施肥等各种田间工作。妇女则替抗日军人家属募衣捐款，到他们家里去慰问，大脚的妇女有很多自告奋勇的加入义务耕田队，儿童们也为抗属做许多零碎的工作，如挑水砍柴等。

有一位三十多岁的女子，她的丈夫上前线去了，她却不愿受义务耕田队帮助，而愿自己去劳动，并说：“我自己能够劳动，你们去做别的抗战工作吧！”还有一位六十多岁的老婆婆，情愿把自己留在家里的儿子送上前线去。更有许多妇女写信寄给在前线的丈夫儿子，勉励他们安心杀敌，可见抗日军人家属是如何地受感动啊！有不少的抗日军人家属被政府和群众热情的帮助而感动得掉下眼泪来的。

（四）锄奸运动

边区的民众组织虽较严密，但仍有不少汉奸潜入活动，扮着各式各样的角色混入群众中去，有时假借哥老会，佛教会，同善社等等名义，利用群众落后的意识，从事秘密宣传，散布许多荒谬的谣言；有时冒充八路军名义，掠劫群众的财物，或捐款借粮，企图造成群众对八路军的恶感；有时伪装各种职业者，如以做小生意，医生，开照相馆为名，在边区内刺探军事上和政治上的消息。在关中庆阳，淳邑等地，破获了汉奸机关，在搜查出来的秘密文件中，都有利用许多阴谋从事活动的事实。

利用土匪来扰乱边区，这是日寇，汉奸最主要的活动方式。

过去边区的群众是有一种太平的观念，以为边区还不是直接的抗战区，汉奸的活动是起不了什么作用的。对于土匪，还都以为只是因为生活压迫，不得已铤而走险的，不知道竟有严重的政治作用。

自从去年十月边区党委指出边区已开始成为直接抗战的地区的形势，并号召迅速完成边区抗战动员的工作，经过这个抗战动员的号召，各地的工作者就热烈的动员起来，作扩大和深入的宣传。因此，群众的政治警觉性是大大地提高了，不再有太平的观念，作为抗战动员工作之一的锄奸运动，也就普遍地展开，各地的群众成立了锄奸委员会，协同保安队进行锄奸运动，各地的自卫军和少先队也以锄奸运动为中心工作。而对土匪的观念，也已明白不是单纯的为了生活压迫铤而走险的一群流氓的结合，而是被日寇利用来进攻边区的先头部队，所以，剿匪的工作也就紧张起来。例如延川县的自卫军，经过整理后廿日，就捕获了卅余名为日寇执行特务工作的土匪，缴了十九枝枪，还有许多款项，所捕获的三十余人，均经过了群众的公审后杀了八人，其余能悔过自新的，都保存他的性命，派到靖边一带去从事生产。

再举一点实际的例子吧，在定边有个同善社，那里有个四川人公开宣传说："过去中国是侵略日本的，所以日本现在来侵略我们是报应，我们不要去打就无事了。"又如佛教会宣传："日本兵来了不要紧，一人加入本会可保一身，一家加入本会可保全家"，"打日本白送了性命是最傻的"。像这样荒谬绝伦的汉奸理论，在僻坏的地方是相当盛的，发出这些汉奸理论的人，后来被群众抓起来，经过盘问之后，都老实不讳的供出是受日本强盗的收买来从事活动的。现在像这样愚笨而荒谬的宣传已不再发现了，因为群众政治警觉性的提高，一听到这些荒谬的宣传，就要把他捉起来的。

（五）归队运动

归队运动这个名词是很新鲜的，这种运动是适应抗战的需要，在“全边区总武装”和“每个乡村不留一个老战士”的口号下，动员退伍的老战士重上前线的一种运动。怎样能动员老战士上前线呢？第一自然是平时的宣传工作对群众的影响；在抗战动员的号召下，边区群众的抗日情绪是大大地提高了，他们懂得民族危机的急迫，也懂得自己应有保护民族国家的任务，加以八路军的胜利消息频频地传来，更使他们兴奋，抗战动员的空气弥漫了整个边区，人民都以武装上前线为荣耀，老战士在这样的环境影响之下，怎不唤起壮志，重上前线呢。第二个原因是老战士受了政府对抗日军人家属优待的影响。对于抗日军人家属困难问题的完满解决——例如动员群众提前帮助抗日军人家属秋收，捐募款项解决抗日军人家属的冬衣问题，实行优待抗日军人条例，这些都是使战士无后顾之忧安心上前线的。第三个原因是群众对归队战士的鼓励，如归队战士尚未归队的时候，群众便热烈地去慰问，送礼物，衣服或钱给他们，或请他们吃饭，在出发的时候，沿途有群众打锣打鼓唱歌喊口号热烈地欢送他们，诸如此类，都是鼓励老战士重上前线的办法。

由于这些原因，归队运动的工作进行得异常的顺利，例如延安县预定一百五十名老战士归队，只一星期的时间，就集中了归队的战士二百四十余名，超过了原定的数目颇多。许多的老战士都自动的来归队，他们感觉到不归队是一种耻辱。

（六）秋收与春耕运动

秋收与春耕运动，也是适应着抗战动员的工作而进行的。当去年的秋收工作刚开始的时候，正是八路军开发前线抗日的当儿。为了保证抗战军队的给养和不白费人力财力，而秋收工作的意义是异常重大的。

秋收工作的中心任务是“争取按时收割”，不糟塌一颗粮食，为了适应这个工作，首先把原有的耕出队变成秋收队，从事有计划的收割，分配那几个秋收队帮助那几家缺乏劳动力的抗日军人家属，或工作人员家属收割。为了实现优待抗日军人条例，秋收队要首先帮助抗日军人家属及工作人员家属收割，然后才来收割自己的。如抗日军人家属或工作人员家属比一般群众的收成不好时，则鼓励帮助他们的秋收队自动的将自己的收成一部分交给抗日军人家属或工作人员家属使用。这种办法是苏维埃时的传统，对于鼓励战士上前线是很有效的。

去年的秋收就在这样的活动下尽早完成了，特别是八路军及工作人员的庄稼，比一般群众都收得早，而且没有丝毫粟粒浪费掉。一般地说来，去年的收成要比以前好了许多，固然是天时的关系，但秋收工作做得好也是不无关系的。

光阴荏苒，秋收工作早成过去，寒冬未尽又开始布置春耕的工作了。

边区建设厅为了加紧发动春耕运动，于一月二十五日，召集陕北直属各县第二科长开个联席会议，布置了今年的工作，颁布了春耕运动的训令及讨论提纲，开始进行春耕运动的工作了。

春耕运动工作的讨论提纲原文很长，不能备载，兹将关于建设方面的几项附录于后，以资参考。

关于开荒，兴修水利与施肥者：

甲、开荒运动

（一）在春耕以前，各县应注意发动群众的开荒运动，大量的扩大耕地面积，并保证不荒芜一垧熟地。

（二）各县的开荒应超过去年的开荒面积。

（三）特别在华池，保安，甘泉，安塞等县尽量开荒，在该数县组织开荒委员会，专门领导开荒。

（四）各级政府尽量的收容难民帮助开荒，解决难民在开荒运动中的一切困难问题。

乙、兴修水利

（一）各县注意探勘兴水利便宜的地区，发动群众有组织有计划的去修水池。

（二）特别注意在延安南门外莲花池，枣园，帽儿沟，罗家坪，安定芋家湾，甘泉劳山川，华池大白川，延长贺家坪康家坪等处进行修水利。

丙、施肥

（一）广泛的发动群众普设厕所，收集肥料，多供耕地施肥改良土质，增加粮食产量。

（二）每村设立一个公共厕所，收集肥料，专门供给抗日军人家属与工作人员家属的土地，或公地施肥。

关于植树和造林者：

（一）保护各地原有自然森林，严禁无计划的乱行砍伐，特别在华池，甘泉，志丹，安塞，延长，曲子，延安等县。

（二）从组织上广泛发动群众（特别在安定，延安，延川，延长，安塞，志丹，靖边，神府等县）的植树造林运动，保证在该数县建立森林区，实现每人植树一株的口号。

（三）按时准备养好的树苗以便栽植。

（四）以延安，安塞为本年推动造林运动地区，有计划的进行工作，各地党政军及武装部队均应参加当地造林运动。边区政府直属各机关及保安部队由本厅计划领导。

关于增加食粮提倡植棉及广种工业作物原料者：

（一）在延安，延长，延川，古临，甘泉，华池县等处尽量推广植棉面积，并有计划的调剂采购种籽，发动群众种植。

（二）在农村中普泛宣传多种早粮瓜菜夏田小麦，豆子及燕麦等作物，在华池，关中各地提倡多种麻作，定边，保安等处多种糜子，荞麦。

（三）严禁播种烟苗。

关于发展牧畜事业：

（一）禁止屠杀贩卖生育的母牛与宰挖肚羔。

（二）注意牲口饲养管理增进健康卫生。

（三）定边，盐池等县尽量发展骡马饲养。

各级政府接到上述的提纲后，希即行详细讨论拟定具体计划彻底执行为要。

春耕工作布置后，各县都积极地进行，成绩最好的要算延安了。

该县于接到春耕运动的指示后，曾召集各区助理员，各县长，各农民会主任，举行联席会议，讨论进行春耕运动的具体办法。该县为推动全边区热烈进行春耕工作起见，决议向延长，延川两县挑战，提出以下六项的竞赛条件：

一、保证去年原种的土地不荒芜一垧；

二、除去年种的土地外，保证新开荒地四千五百垧；

三、关于代耕问题，保证抗日军人家属去年所种地不荒一垧，今年则需给抗属新开荒地一垧；

四、将全年春耕中的所有困难，确实解决，并将所有的劳动力，除特殊情形外，保证全体参加到劳动中去；

五、为了补救群众粮食的不足，种旱田三千五百垧；

六、保证在春耕中不发生一切妨碍工作的现象，如赌博，种洋烟等。

经过二个月的工作，延安县的春耕运动获得以下的成绩——种下了五千一百八十垧地的麦子，一千〇六十垧地的黑豆，三千八百二十八垧地的芝麻，九百六十二垧地的莞豆，二百三十二垧地的春麦，一百二十五垧地瓜和菜，并且还开辟了四千三百九十一垧地的荒地，修筑了三十四垧地的水田，种植了二万株左右的树木。

在这里应该特别指出的，即是劳动互助社在春耕运动中所起的作用，他们自动的开会讨论对于春耕运动的工作，打破了许多困难。例如耕牛问题，因今春牛疫流行的关系，耕牛不够使用，他们就动员群众以人工代替牛工，调剂劳动力量。尤其是义务代耕队的成绩更为可观，截至四月为止，仅延安一县的义务代耕队替抗日军人家属种了八百二十八垧地的麦子，八十二垧地的黑豆，三百六十二垧地的麻子，二十七垧地的春麦，一百二十九垧地的莞豆，并开垦了六百五十二垧的荒地。

还有妇女生产组和儿童什务队，在春耕运动中，也尽了不少的力量。妇女在春耕中，经常帮助男子做担水，送饭，送粪料，打土坨塔等工作，也有些妇女还直接参加了开辟荒地和种植的工作。儿童则有组织的替抗日军人家属拾粪和做各种春耕上的什务。

各区乡的政府，在春耕运动中，则尽了调剂农具和种籽的作用，以致春耕上的许多困难都能得到解决。

五、民众的组织与活动

在上一章已经叙述了边区民众抗战动员的情形，我们要问为什么边区抗战动员能有这样的成绩呢？我们就不能不想到边区民众已经获得充分的民主自由，并且已经都组织起来了。

凡是生活在边区的人，除汉奸，卖国贼等日寇走狗外，都充分享受抗日救国的自由。这种民主自由不是形式的具文，而是实际的，这可以在边区民众组织的广泛，得着证明。

在边区内各种民众组织都是合法的，公开的，而且得着政府的各种实际的帮助。在不同的职业中，民众的组织有工会，农民会，商人救国会，文化界救亡协会。在特殊需要与切身利益之下而组织的，有妇女联合会，青年救国会，儿童团等，有武装组织如自卫军，少先队等。此外还有各种文艺的，体育的，研究的，识字的等等民众组织。这许多民众组织都按着各自的特殊性而活动，而共同的目标则是抗日救国。

为了了解边区民众组织的情形，我们将择要叙述边区几种重要民众组织的情形。

（一）工会的组织与活动

工会是工人自己的组织，所以工人都团结在工会组织之下。边区的工人，已有百分之九十加入了工会。不仅产业工人，手工业工人都有工会的组织，连农村工人都组织起来了。边区工会的基本组织是：乡工会，城市里的各业工会，地方政府所经营的工厂工会。在这些基本组织的工会负责人，是由工人全体大会直接选举工人中有信仰的三人到五人充任。在工会下面还按照地区或工作部门把工会会员分为小组，小组组长，也是由组员选举出来的。在基本工会上面有区工会，有县工会，有分区工会，有边区总工会。各级工会负责任的人，都是由各级工人代表大会选举出来的。有些对工会工作不积极不负责的工作人，工人就自动起来撤换他们的工作。总之，工会代表与工会负责人，都保证由工人用民主的方法直接选举出来。在边区总工会以下的工会，有的要开二次以至三次的代表会议，为的把各级工会的领导机关健全起来，要使各级工会的领袖和干部，真正的是工人群众中的积极分子和工人群众所拥护的领袖，为着达到这样的目的，边区工会选举运动，曾经进行各级工会的普遍的改选。

边区第一次工人代表大会于四月十七日开幕，会期七日。到代表二百二十六人，不仅边区各工会代表参加，还有香港粤汉等地工人团体代表参加。大会的任务是：一、总结边区过去职工运动的经验教训，确定抗战期间边区职工运动方针，正式成立边区总工会，使边区工会成为领导全边区工人更积极参加抗战的更健全的组织。二、确定边区工会如何赞助全国职工运动统一与普及，并使边区工会成为全国工人统一组织的一个强有力的组成部分。三、确定边区工会在全国工人统一组织领导之下，联合世界职工团体共同抗日，并拥护世界反法西斯反侵略战争的统一战线。这些任务由于代表们的努力，得到完满的成就。大会通过了边区总工会农业工会，手工业店员工会的章程，通过了抗战期间边区总工会工作纲领及文化教育工作方案等重要决议。其抗战期间工作纲领为：

（一）广泛动员全边区工人积极参加抗战，保卫边区保卫西北保卫全中国。

（二）赞助全国职工运动之统一与普及，以加强抗日民族统一战线，使之巩固与扩大，增强抗战力量，坚持抗战到底，争取全国抗战的最后胜利。

（三）普遍的建立与健全工会的组织，吸收边区全体工人加入工会，发展工会民主，提拔和培养干部，使之积极参加工会工作，使边区工会成为全国工人统一组织的一个坚强的组成部分。

（四）提高工人劳动热忱，改良生产技术，提高生产效率和质量，积极参加边区战时经济建设。发展国防工业。

（五）实施国防的职工教育，普及抗战知识，提高边区工人的政治认识和文化水平，消灭文盲。

（六）改良边区工人生活，加强劳动保护工作组织，和安插因战事失业的工人参加抗战工作。

（七）劳资争议工会应采取适当方法，使之合理的解决，俾能集中力量共同抗日。

（八）广泛的发动工人参加自卫军，组织游击队，训练边区工人军事知识和技能，开展抗日游击战争。

（九）领导农业工人并协助农民改良农业生产，发展农村经济，协助农民组织与武装，提高农民的民族意识与抗战积极性。

（十）广泛开展边区工人生产合作运动。

（一一）拥护国共两党亲密合作，拥护国民政府及蒋委员长领导抗战到底。

（一二）动员全边区工人积极参加政府及抗日军队的一切抗日工作，并选择积极的工人干部送交政府及抗日军队分配工作，以便上下一致的协同动作击退日寇。

（一三）动员工人积极进行肃清汉奸，尽量揭穿托洛茨基叛国分子捣乱工人运动，加深工运中分裂的企图与汉奸作用，要把托洛茨基叛国分子赶出以巩固后方。

（一四）在全国工人统一组织的领导之下，联合世界各国职工团体，共同抗日，拥护全世界职工保卫和平保卫民主反侵略战争的统一战线。

边区工会确实做到了动员工人参加抗战，保护工人自己利益的组织。它代表工人同资方签订劳动合同与集体合同，保障工人的利益。边区各业工人的工资都较从前逐渐的提高。煤矿工人增加百分之三十，泥水木工增加百分之二十五，制造工人和店员增加百分之十五到廿。工资的大小，由工人大会选举工资估价委员会依照工人技术高低来决定的，此外厂方对于工人待遇，如宿舍，煤炭，灯油等俱由厂方供给。疾病医药由厂方完全负责，工人疾病第一星期工资全给，第二星期内给工资三分之二，第三星期给工资三分之一，因病停止工作，厂方要保持原有工作地位。女工产前产后，休息二月，工资照给，并给休养费。

自有工会以来工作时间在政府经营的工厂里都已实行了八小时工作制，青工童工只六小时与四小时。每继续做工六天休息一天，工资照给，各纪念日休息，工资也是照给。工人参加政府的会议，参加工会的会议，及工会调动工人受训在半月以内的，俱不扣工资，并保持原有工作地位。总之，工人的利益，都由工会予以充分的保护。

边区工会对于工人的政治文化教育工作，是一种经常的工作。除开办工人子弟学校外，还有工会设立的工人夜校，青年工人参加夜校的占百分之八十，成年工人占百分之六十。还有城市工人俱乐部，里面有读报，有政治研究会，有墙报等等组，工人都很踊跃的自由参加。乡村工人大多都参加夜校读书去。此外还有工人流动训练班，召集各业工会中负担工作的工会干部，轮流来受短期的训练。

因为工人都组织在工会里面，而工会又能替工人谋利益，所以工会领导全体工人参加抗战救国的动员工作的成绩，都非常的好。如领导工人参加抗敌自卫军，优待抗日军人家属，提高战时生产，供给抗战需要等工作，以及抗战的紧急动员，都能按照计划完成，并且超过预定计划。边区工人在工会领导之下，已成为全国抗战的一支坚强的力量。

有人或许怀疑边区工会工作过程中，不免发生工人与政府，工人与资方对立，以致妨害团结一致抗战的事，实际边区政府以至人民，都遵守着“抗日高于一切”，“部分利益服从整个民族利益”的原则的。政府经常对于工会工作给以帮助，对于工人教育，失业救济等等工人利益都非常注意，对于工会的权力亦是很尊重的。对于劳资纠纷，或厂方不履行劳动合同等事发生，政府总是用说服的精神，使双方得满意的解决。至于工人与资方的关系也很好，都能本“抗日高于一切”的精神，解决他们彼此的异议。工人对于厂方有意见时，经过工会提出来，厂长也很重视，并共同设法实行的。工人对于工厂也非常爱护，从来不怠工，对于技术的改善，生产材料的节省，都用力进行。每月生产计划，都能完成并且超过。工会开大会厂方派代表参加，工厂开会，工会也派代表列席。遇有工人提出要求及发生误会时，都要经过工会与厂方的会议来解决，得到双方的谅解。

手工艺工人与老板的关系也很好，老板们认为工会对他们只有好处，要是工人提出过高的要求，都得到工会的适当的解决，抗战以来，工人老板都参加抗敌后援会在一起讨论救亡工作。老板常拿钱出来买梭标等武装工人自卫军，真正做到有钱出钱，有力出力。至于农村工人与雇主的关系，因为有乡工会，雇工的行动就没有无组织的状况，如有要求，由工会与雇主商量解决。雇工与雇主并且一致参加农民自卫军，在抗战工作中，许多冲突都减少了。

现在边区工会的组织，已经完成彻底的改造：

第一，吸收了大批无组织的工人加入工会，把工会中非工人的分子清洗出去；

第二，从基本工会组织以至边区的总工会的领导机关，都经过会员大会或代表大会的直接选举，把工人有能力有威信的干部吸收到领导机关来；

第三，检讨过去工作的弱点与错误，改变工会工作的散漫现象，克服工会中官僚主义习气，使工会向着有生气的途上前进；

第四，雇农工会在农村中成为团结工农群众的战斗机关。

（二）青年救国联合会

边区青年救国会是边区一切英勇而热情的青年的组织。它团结了全边区各党派各阶层的青年力量，发挥了每个青年的才能，它指导和推动边区青年群众的教育，娱乐，体育，及军事学习等等的工作。无论自卫军，少年先锋队，儿童团，以至放羊队，牧牛队，都在青年救国会的领导下，一面工作，一面学习。最重要的是边区的青年在青年救国会领导之下，积极参加抗战动员工作，帮助政府与军队抗战，完成了政府在抗战中的每一紧急号召。团结了整个边区的青年在统一战线之下，加强了他们抗日救国高度的政治觉悟。

边区青年救国联合会的基本组织，是青年俱乐部，它是以每一工厂，学校，街道，农村为单位组织起来的。在俱乐部之下，为了便于进行工作起见，设立有各种各样不同的小组，如识字小组，体育小组，唱歌小组，游戏小组以及根据地方情形划分的小组等等，在各种组中发挥了广大青年群众抗战的力量和精神。他们能够从组织上去讨论和解决一切问题，保证每件工作的完成。

俱乐部不仅是青年救国会的基本组织，而且是青年活动的中心，青年的文化娱乐，青年日常生活等困难问题，以及抗战动员工作等等，都经过俱乐部讨论解决。现在边区已建立一千〇八十个青年俱乐部，包括会员十六万人。

俱乐部以上的联合组织，有区，县，分区以至全边区青年救国联合会。各级青年救国联合会的指导机关，都是经过民主的办法选举出来的，一切行动方针与决议，均经过大家的讨论。在一切工作与会议中，均能发挥自我批评的精神，检查工作，克服一切缺点，坚定了抗日的决心，锻炼了抗战的能力。

边区青年救国联合会，由边区青年救国代表大会选举执行委员会，并由执委会推选常务委员会，除正副主任外，还设立：一、组织部；二、文化教育部；三、军事体育部；四、社会工作部；五、儿童部；六、秘书处，分别担任各部的工作。区，县，分区各级青年救国联合会的组织，大致相同。

边区青年救国联合会的组织系统如下：

一、边区青年救国代表大会——边区青年救国联合会执委会。

二、分区代表大会——分区执委会。

三、县代表大会——县执委会。

四、区（镇）代表大会——区（镇）执委会。

五、俱乐部会员全体大会——俱乐部干事——小组。

六、直属市（县）代表大会——直属市（县）执委会，直属于边区青救执委会。

边区青年救国联合会成立刚过一年，除在组织上有很大发展外，还协同广大青年群众进行了各种抗战工作。首先在边区广大青年群众中做了关于抗战动员的深入宣传工作，在各级青救会中有组织有计划的进行了抗战动员的普遍传达与讨论，特别是动员了半数以上的青年参加了半军事的地方武装组织——少先队，青年自卫军，并且在去年“九·一八”举行了全边区的少先队儿童团的大检阅，动员了一万多十八岁以上的青年直接到民众自卫军中去。鼓动了很多因病退伍的战士归队，动员了一部分青年加入正式作战的武装组织。并有在战地上服务的和后方专门做抗战宣传教育与训练工作的。其次还整理与重新建立了抗日监察队，轻骑队，专门进行侦查贪污腐化和汉奸托派，在这方面动员了很多青年参加。

在去年冬天，动员了八万一千多双毛袜子，手套及许多其他不可以数目计的食物用品，慰劳抗日军队。每一运动由青年救国联合会发动，边区青年首先就起来响应，尽着先锋推动的作用，大大的提高了民众和前线战士的抗战热情。

在边区普及教育突击运动中，青年救国联合会负担了特别重要的责任。在一切抗战动员工作中，均密切地与普及教育这一工作联系着，大大的发扬青年学习的热忧。动员了六万以上的青年加入了小学，夜校，半日学校，识字组等。在普及教育中创造了几千小先生，以及许多识字英雄，最低限度能识三十个字，认识三二百字的很多，认识七八百及一千多字的也有。

儿童团的工作，是在青年救国联合会领导之下进行的。儿童团的组织，以乡为单位建立一个大队，设正副队长各一人，村建立小队，设小队长一人。队长人选经过儿童团民主选举。现在有组织的儿童，已达六万以上，百分之九十的儿童都加入了儿童团。

儿童团的组织，用适合于儿童心理的教育方式去进行儿童的抗日教育。儿童对于抗战动员工作，亦表现出伟大的作用。他们对于各种动员工作，如缴纳救国公粮等等，除组织宣传队出发宣传鼓动民众外，还自己打手套砍柴去慰劳军队。其他如放哨，查路条等，儿童团也积极的参加工作。

总之，边区青年救国联合会，领导着边区广泛的青年，进行一切抗战动员工作，表现了很大的成绩，得到广大青年的信仰和拥护，成为一支坚强的力量。

目前边区的形势，已比前紧张万分，变为与日寇直接作战的地区了。边区青年救国联合会已经号召全边区青年武装起来，在政府领导下为保卫边区，保卫西北，与日寇作殊死战，并且具体规定了紧急动员的方针：

一、动员沿河一带的青年群众，尤其是少年先锋队，应在他们的组织上做深入的动员和宣传解释，更加强对军事上的教育训练，使他们能与正规军队以及地方部队配合，严守河防与牵制敌人渡河来扰乱边区，不让敌人夺取一个黄河渡口及船只，这必须要求少先队，少年团及青年自卫军踊跃的配合军队，不停的严查及举行疑兵等，对于已过河的敌人，配合正规军及游击队阻止敌人前进，动员群众举行坚壁清野，并有计划的去进行包围袭击，一直到完全消灭为止。

二、边区某些地方万一被日寇占领了，摧毁了抗日的组织，即坚持全区的抗日游击战争，青救会应领导青年大量的参加抗日游击队，以充实与壮大游击队的武装力量。在今天还未变成直接对日作战区域，应该迅速的整理少先队的工作，创造模范少先队的战斗计划，保证能够随时调动。

三、特别注意汉奸托匪（这是边区常用的名词）的破坏与捣乱，青年儿童要特别警觉，随时注意与监视这些败类的行动，加强各村庄的步哨与盘查工作。

四、各级青年救国会的组织与青年干部，都重新配备与调动，以适合战争的需要，俱乐部下面的各种小组，应当改成破坏队，运输交通队，及侦探队，战时服务队，战区青年救国会主任参加该区的游击队，仍多做领导青年群众进行武装抗战的动员。县青救会只留一人。经过军政委员会的通过，参加军政委员会的某一部与某一科专做青年的抗战动员工作。将身体不善于作游击战争的干部调换。

五、上述这些工作，在青救会的各级各种组织上有计划的讨论，并灵活的执行。边区青年救国联合会已经准备好了领导全边区青年儿童，在政府领导下，粉碎敌人向边区的进攻。

（三）边区各界妇女联合会

边区各界妇女联合会，是各党各派各阶层的妇女争取民族解放与本身利益的群众组织。它的组织形式与青年救国联合会差不多，在边区各界妇女联合会以下，有分区，县，区的各界妇女联合会，而它的基本单位，则是乡妇女代表大会。还有各个妇女救国团体参加做团体会员的。各级的妇女联合会，俱用民主的方法，改选了领导机关，并广泛的建立了区与县的妇女联合会。在各级妇女救国联合会的领导机关中设正副主任外，还设立劳动部，宣传部，抗战工作部等及放足委员会，救护委员会等，吸收很多的妇女参加工作。

过去边区的妇女运动的基础，是劳动妇女，在革命过程中起过很大的作用。妇女各界联合会，是根据妇女运动的新任务——动员全体妇女参加抗战工作的任务而成立的，所以它的群众基础比以前广泛得多，而工作亦比前充实得多。

由于边区妇女运动有着很好的传统经验，所以在妇女联合会领导下的妇女运动，表现了很多的成绩：

第一，边区各界妇女大多数已经组织起来了，参加妇联的妇女有十七万三千余人，占边区全体妇女三分之二。在自己组织中，过着集体生活，受着政治的文化的教育，从封建束缚之下解放出来了。

第二，在各项抗战动员工作中起了积极的作用，她们曾完成了征收救国公粮，春耕，锄奸，归队等工作，并且参加战地服务团和自卫军，如延安就有女自卫军一〇五〇人，全边区的女自卫军的人数在一万一千以上，少先队则有二千七百人左右。她们不但上操，而且还担负了盘查放哨捉匪等工作。此外还参加慰劳，运输，缝纫，洗衣队的工作。

第三，妇女在政治上取得了完全自由平等的权利，参加了政权，她们在乡，区，县各级政府中都参加工作，并充当议员，自由提出保护妇女利益的各项提案，学习管理国事。

边区妇女参加生产的情形也是可以大书特书的，无论是在工业与农业方面，均依照与配合着边区政府每一个生产计划而参加的。在工业方面，有被服厂，女工厂，鞋袜厂。女工厂的厂长以至管理员传达处，都由妇女担任。各工厂的女工，都能提高劳动热忱，工作速度，来保证各个生产计划之如期完成，以至超过。更用组织生产的竞赛与创造生产模范的方法，促进工作。

在农业生产方面，由于大批的壮丁已经和继续的上前线，农村劳动力缺乏，特别要鼓励妇女参加，具体的帮助其学习耕种的技能，在各乡成立妇女学习生产小组，劳动互助小组，妇联下设有生产委员会，经常给以指导。在去年春耕运动总结中，全边区开垦荒地四五七一九垧（每垧约三亩），平均每一青年劳动者（包括妇女）开垦一亩田。六个县的统计，妇女学习生产小组一四五〇一个，参加的妇女三五五九四人。全边区已组织了农村妇女百分之五十参加生产。今年春耕运动，在生产战线上，将会增加大量的女生产员。现有的统计为二六〇〇人，开辟荒地七〇〇〇垧，在延安春耕运动初步检查中，已开垦荒地达四千余垧，春季妇女植树一〇〇〇〇棵。妇女生产组，能经常帮助男子担水，送粪，打土圪塔等工作，有些直接参加劳动耕种。

各界妇女联合会为了讨论如何动员全边区的妇女起来执行保卫边区的任务，在三月八日举行了第一次代表大会，到会代表有一百三十多人，并有华侨及英国妇女参加。河南，西安的妇女团体亦派代表出席，会中各代表都踊跃发言，经过了几天热烈的讨论，通过了重要提案宣言。

关于今后的工作，各代表发言的特别多而且具体，归纳起来，计：

一、关于抗战动员工作，因为日寇正在进攻边区，妇女要为保卫边区而动员。首先各代表回去在广大妇女群众中进行耐心的解释工作，特别要使每个妇女了解日寇对妇女的侮辱和残暴，把无数的事实告诉她们，提高她们的抗战决心与热情。在实际工作中，动员妇女参加自卫军，如妇女因生理关系不能上前线，就鼓励其丈夫儿子上前线杀敌，自己担任后方工作，参加锄奸队，慰劳队，洗衣队等，担负警戒，侦探，放哨及努力生产，参加春耕等工作。

二、关于提高妇女文化水准，首先利用各种团体的会议中去学习，按照各种情形，把妇女动员起来去参加妇联会，农会，工会，青救会等团体中去。在团体生活中，彻底的实行民主，保证各级妇联都由群众选举，实行工作检查，自我批评等。同时动员妇女到学校中去学习，好好的进行说服解释工作，使她们肯到已经设立的学校与男子一块学习，对于歌咏戏剧一类的文化组织，引导妇女去参加。

三、关于妇女本身利益，各代表的提案与多数代表的发言，都提到了。这可以表现妇女群众要求从痛苦之下解放出来的热望。首先要求完全解除对于妇女的封建压迫，反对打骂妇女，特别要说服那些不准自己的儿女或妻子参加抗战工作的婆婆与丈夫，有必要时提到妇女代表大会上用民主的方式处分他们，或提放妇女群众面前与他们作斗争。关于生活改善方面，动员妇女参加合作社，参加春耕运动，以及注意卫生，反对吸大烟，向吸烟的男女做说服工作或作斗争。

四、同边区外面的救亡团体联络，促成全国统一的妇女组织的实现，共同担负抗战救国的责任，并建立密切的友谊关系，相互学习，交换工作干部等。

五、领导问题是一切工作中非常重要的一个问题。因为区级干部文化水平低，以后区的领导可以少用文字传达，亲到群众中去领导她们指示她们。反对代替包办。同时也反对依他人的倾向，建立巡视制度，实行具体检查，免使领导落于空洞。

六、干部问题在大会也引起热烈的讨论，大家都觉得应该时刻注意群众中的活动分子，在群众中找寻群众领袖来领导群众。对于干部的教育，应组织文化的政治的学习小组，相互学习，并特别注意帮助干部在实际工作中去学习，与耐心的用说服的精神纠正他们的缺点。分配干部也要按照工作需要和干部能力，予以适当的分配。只有大批的坚决的积极的妇女工作的干部，才能完成民族解放和妇女解放的任务。

从代表大会对于今后边区妇女工作的讨论中，可以看出各界妇女救国会的工作进步。自然边区的妇女工作也有某些弱点与困难，如某些妇女联合会，对妇女本身问题（婚姻问题等）注意得不够。工作发展的不平衡等。再则就是一部分男同志对妇女工作的轻视，及妇女在观念上也存在一些弱点，以至于阻碍妇女工作的向前发展。这些现象，经过代表大会指出以后，都已渐渐克服过来了。今后的边区妇女运动，将顺利的向前发展，是可以意料的。

（四）抗日自卫军和少先队的整理

抗日自卫军的整理和组织，是边区抗战动员的主要工作之一。在边区的政制没有转变之前，本来也有自卫军的组织的，不过它的名称和成分与现在抗日自卫军不同，那时叫做“赤卫队”，队员多数是贫农，其任务则为保卫苏区保护农民自己的利益。现在政制改变了，全国的政治环境也完全不同，为了适应抗战，巩固后方，就需要把原有的自卫军扩大，加强它的组织，重新确定它的任务，所以名称也改为“抗日自卫军”。在“全边区人民总武装”的口号之下，动员边区所有的壮丁到自卫军中去。

抗日自卫军和正式部队不同，它是有军事性质的抗日武装组织，同时也就是抗日后备军，它平时的工作则为消灭汉奸土匪，捕捉侦探，侦察敌情，递送情报，担任警戒盘查，放步哨等，战时则担任交通联络与运输等。

凡居住边区的劳动公民，不论男女（除小足的妇女外），年在十八岁以上四十岁以下，身体强健而自愿执行抗日自卫军的任务与遵守纪律者，均有加入自卫军的光荣权利。不论男女队员，均要经过自卫军的连部审查合格后，方得为正式队员。

自卫军的编制，分班，排，连，营。营为最高单位。

八人至十二人编成一班，设正副班长各一人，二排至四排为一连，设正副连长各一人。妇女则单独编制之。各区的班，排，连，营长，负责军事指挥及教育，各副班，排，连，营长，负责政治领导及教育。连的编制以乡为单位，而营的编制则以区为单位。妇女自卫军的连为最高单位，正副班，排，连长也是妇女担任的，唯须受该乡的男子自卫军连部指挥。

自卫军的武器是队员自己备的，有土枪，刀，矛和铁斧等。

各级自卫军的首长，除营长直接由边区保安司令部任免外，其余均由队员选出，经上级机关委任和批准。全边区的自卫军统属保安司令部领导，指挥和训练均由保安司令部负责。

抗日自卫军中，还有基干自卫军，所谓基干就是选优拔优，将自卫军最好的分子，吸收起来，加以特别训练，发给新式武器，作战时配合游击队或正规军作战。

至于少年先锋队，也是在抗日的新任务下把原有的加以整理，更普遍地动员未满十八岁的少年到组织里来，其组织的形式和抗日自卫军没有什么不同，所不同的是在于它平时的活动则着重于文化，娱乐和体育等教育方面，这是适应于少年的身心之发达的原则的。

关于整理自卫军和少先队的工作，也如其他工作一样，一经布置之后，立即传达到全边区各角落里去，热烈地来执行这个工作。兹举延川县对于整理自卫军工作的情形，作为例子，借以窥见该项工作之进行情形。

延川县整理自卫军的工作，是在边区党委抗战动员工作的指示之下进行的，经过了党和群众团体作深入的宣传解释工作之后，大大地提高了群众的政治觉悟，了解日寇利用土匪作为进攻边区的先遣队，今日的边区已成直接抗战的区域，所以都自动的来参加自卫军。如东区原计划三百名，现已完成了四百二十名，西区八乡原定一百名，现已完成二百八十名，全县除了一二乡没有确实的数目报告之外，统计已完成了三千七百三十名，内有妇女五百二十六人，由工会送来有一百七十人，由少先队送来有一百五十四人。许多岁数比较大一点的少年先锋队的队员，都自动要求加入自卫军，说："我们长大了，能够杀日本鬼子了，让我们当自卫军去吧"，妇女们也有很英勇地参加了自卫军的，全县计有武器二千七百件，目前正在积极的准备着武器，有的自己打铲子，有的就用农具，也有请铁匠来打武器的。

（五）边区民众抗敌后援会的组织与工作

抗敌后援会是战时最广泛最普遍的抗日统一战线的组织。它包括了党政军及工农商学兵一切抗日的民众。全国抗敌后援会，虽还没有成立，但这一组织已经普遍了全国各地，比任何抗敌团体都普遍，就其性质来说，是最适合于战时动员的一种群众组织。

边区各民众团体，为加强抗敌力量，统一组织与行动，与全国的广大民众紧密的联合起来，特组织陕甘宁边区民众抗敌后援会，并进行各县，区，乡各级民众抗敌后援会的建立。边区民众抗敌后援会的建立，比起全国各地抗敌后援会更具有实际的意义，因为其他各地的广大民众还没有组织起来，所以抗敌后援会多由地方党政军当局所组织，由于民众团体的很少参加，每每形成高高在上的衙门机关，在于一切动员工作，做的实在有限。至于边区民众抗敌后援会，在没有成立前，全边区的民众，就已经在各种不同的组织方式下组织起来了。并且对于抗战动员工作，起了积极的作用。这次抗敌后援会的建立，是由已经组织起来的民众团体，在民主自觉的原则下，自下而上来产生的，不是机关衙门，而是拥有全边区有组织的广大民众，实际的积极的来领导一切抗战动员工作的团体。

有了边区民众抗敌后援会，边区各民众团体仍然是存在的。因为各民众团体都有其特殊性质与任务，对于抗战动员工作方式，也各不相同。抗敌后援会是各民众团体的总的领导机关，它尽着政府与各民众团体间的桥梁作用，各民众团体是构成抗敌后援会的细胞，如果没有这种细胞，它将变成一个没有生气的死的东西。

边区民众抗敌后援会的组织方法，也与各地方的不同。边区以外各地所采用的最普遍的方法，是由党政军当局联合当地耆绅及各界领袖的组织，真正的民众团体常常不被吸收在会内，容易形成一种空的衙门机关。其次，便是由地方名流及热心救国人士发起，联合地方当局及各界组织之。这种方法比第一种好，不过没有广大民众的基础，如果组织起来后，又不去发动民众和组织民众，便会形成一个空洞无力的机关。

边区民众抗敌后援会，是由各民众团体发起组织的，是建立在民主集中的原则之下组织起来的，它有广大的民众作基础。所以边区各级民众抗敌后援会的组织：

一、边区民众抗敌后援会是全边区的民众抗敌最高领导机关，是全边区各民众团体的总汇。

二、分区民众抗敌后援会，是各分区民众抗敌的最高团体，各分区的各民众团体，在接到边区民众抗敌后援会及各该民众团体上级组织通告后，即刻遵照分区民众抗敌后援会组织大纲组织之。各分区民众团体，都构成分区民众抗敌后援会的一个基本会员，并接受其指导。

三、各县各区各乡民众抗敌后援会的组织方法，与分区民众抗敌后援会的组织方法大致相同。下级民众抗敌后援会，俱向上级抗敌后援会备案与接受其指导。

四、乡民众抗敌后援会之下，应按各乡民众职业，性别，年龄等等不同，分别组织各种抗敌小组。

边区抗敌后援会的工作，包括，一、一切战时动员工作；二、统一各民众团体的组织与行动及一切抗敌工作的推动领导；三、促进与边区以外各地抗敌团体的联系及工作经验的交换。具体的规定，便是下列各种：

（一）领导并推进一切民众运动，如工运，农运，青年及学运，商运，妇运等等。

（二）武装动员，如协助政府及军事机关动员新兵，征集车马，运输伤兵粮秣，办理收容救护伤兵难民，管理训练自卫军少先队，指导公共卫生及生活之改善，管理优待抗日军人家属等。

（三）肃清汉奸，管理侦察汉奸及敌探活动，分发情报，协助政府缉捕审理汉奸敌探等。

（四）一切宣传教育工作。

（五）一切统计调查等工作。

（六）招待交际各地抗敌团体代表与各地抗敌团体联系等等。

边区民众抗敌后援会领导民众动员工作，能够按照当时的具体政治任务，进行深入的广泛的政治动员，没有公式命令等工作方式，实在可以供各地动员工作的参考，下面便是对于各级抗敌后援会的指示：

关于目前宣传工作，应该注意以下数事：

（一）目前宣传的中心工作，是保卫边区，紧急动员，迎击日寇的进攻，准备对日作战，在这一工作目标下，要很具体的用各种方法，扩大并深入这一宣传，务使每一个民众都认识边区的紧急形势，提高抗敌情绪，打破太平观念及恐惧心理，使之积极的参加各种紧急动员工作。

（二）为了达到上述的宣传工作目标，应根据本部三月十七日的信，切实普遍的组织宣传队，经常出发到各村镇作深入的普遍的宣传，务使宣传队的宣传，使每一区乡民众都能听到。如果不能组织固定的宣传队，可由各团体工作同志及长于宣传工作积极的群众每周轮流担任之。宣传队每次出发，应以一两个问题作中心（如加紧警戒，放哨，锄奸剿匪，动员牲口人夫运输，怎样打游击……）。

（三）各级抗敌后援会及各级团体，应该从组织上去动员，加紧这一宣传工作。最近应分别召集各种干部的，活动分子的，以及各种群众的（如工人、农民、青年、商人、妇女、自卫军、少先队的等等）会议，并应尽可能的召集各城、镇、区、乡的群众大会来扩大并深入紧急动员的宣传，及决定每个团体和鼓励每个群众来实际的参加各种动员工作。

（四）各级抗敌后援会在决定及进行宣传工作时，除作一般的广泛的宣传外，更要注意各个团体的特殊性及各种不同的群众，作更具体的特殊的宣传（如对自卫军，应多注意戒严，放哨，锄奸剿匪，加紧学习，随时准备当游击队等宣传，对妇女多注意加入女自卫军，组织慰劳队，看护队，缝衣队，洗衣队，鼓励丈夫儿子加入军队去打日本等宣传，对商人特别宣传他们不要抬高物价，做买卖优待抗日军人家属，踊跃帮助政府军队的各种征发……等）。

（五）各级抗敌后援会在决定及进行宣传工作时，应注意当前所处的环境，根据具体的环境做各种中心宣传工作。如靠近黄河及可能被敌人占领的地方，应加紧游击战争，坚壁清野，侦察送信，破坏交通道路等宣传，在土匪骚动的地方，应加紧剿匪，锄奸自卫军加紧工作等宣传，在比较距前线稍远，不致即刻成为战场的区域，应加紧春耕运动，动员牲口人夫运输，锄奸剿匪等宣传。

（六）最近发出的抗敌画报和抗敌小丛书，要很快的普遍传布，从组织上的动员以及宣传队的动员，要保证能够使每一区乡民众都能看到或听到并能了解这种宣传品的内容。

（七）最近战地服务团，已有两队出发，他们所到的地方，该地的抗敌后援会及各团体，在工作应该与他们取得密切联系并帮助他们发动广大的民众。

（八）为要对各地抗敌后援会工作情形有明白的了解，以便决定具体的进行方针起见，各地抗敌后援会应该经常的把自己的工作计划，工作情形，在工作中的困难以及所得的经验与教训等，很具体的报告给本会。

（九）各地抗敌后援会应指定一个专人作本会的通讯员，经常的给本会写通讯，通讯内容包括：群众抗敌情绪及不正确的倾向，汉奸土匪等活动情形及锄奸剿匪的工作，各级抗敌后援会的工作情形，各种动员的工作与工作的成绩等。

（十）各分区各县抗敌后援会接到此信后，要很快的根据自己的具体环境，定出这一个月的宣传工作计划，使本月宣传工作有所遵循。并将这个工作计划，寄到本会宣传部一份来。

附　陕甘宁边区民众抗敌后援会章程

一、本会定名为陕甘宁边区民众抗敌后援会。

二、本会以促进边区各界民众更进一步的团结巩固与扩大民族统一战线，拥护中央政府与蒋委员长坚持抗战到底，争取抗日民族自卫战争的最后胜利为宗旨。

三、本会由各界团体共同发起，得到当地党政军机关的许可并呈请政府备案而设立之。

四、本会由党政军各机关各民众团体各派遣代表三人组织之。

五、本会由代表大会选举二十一人组织执委会。

六、本会设常务委员会，人数十一人，由执委会推选之常务委员会互推正副主任各一人总揽和处理一切会务。

七、常务委员会下分设下列各部处，各部设部长一人，秘书处设秘书长一人，由常务委员会互选之：甲，秘书处；乙，组织部；丙，宣传部；丁，职工部；戊，农民部；己，青年部；庚，商民部；辛，妇女部；壬，武装动员部；癸，锄奸部。

八、各部处之内部组织，分工，工作纲要，由常务委员会另订之。

九、本会经费由党政各机关公费中拨一部分或地方款项中拨充之，其详细办法另行规定。

十、本会代表大会每半年举行一次，执委会每三月举行一次，常委会每二周举行一次，如遇必要时均得临时召集之。

十一、县区及乡抗敌后援会组织大纲另订之。

十二、本章程由代表大会通过实行，有不适当处得由大会随时提出修改之。

（六）发展中的合作事业（杜映）

关于合作事业的材料，我搜集的很不充分，杜映先生曾发表过一篇文字，叙述得较为详细，兹特附载于后。

（1）抗战中的新任务

过去的一个时期中——国内战争的时候——边区处在一种被封锁的状态下，和外面完全断绝了正常的营业关系，它内部既没有比较发达的工业，一切军用品和人民日常生活必需品就发生了问题，为了要解决这种困难，合作社的组织就在此时产生。

自从去年芦沟桥事变发生，神圣的民族自卫战争开始以后，国共两党亲密的合作，统一战线的日渐巩固与扩大。这种伟大的力量，使全国每一个党派，每一个团体都捐除了私见，紧紧地结成一座牢不可破的长城，来对抗日本帝国主义的疯狂侵略。在这中间，边区合作社也议定了它新的任务，这新的任务就是：“保证抗战时期物质供给，改善人民生活，帮助政府动员人民上前线。”

（2）组织与性质

虽然现在是举国一致合力对外的时候，可是因为边区经济落后，商品经济的发展亦比较其他各地还来得缓慢，所以商业也不很发达，使人民对日常必需品的要求，经常不能满足。为了解决这一困难，在政府领导推动之下，由群众自己组织成各种合作社。但是因为边区缺少近代工业建设，手工业生产也不发达，很难建立生产合作社，所以百分之九十五以上的都是消费合作社，这种合作社不仅是一个营业性质的机关，它并且是群众运动的一部分。

边区合作社完全是群众自己组织成的，所以内部的一切工作也完全是由群众自己办理。每三个月开一次社员大会，讨论营业方针，工作人员任免及一切重要事情。社员较多的合作社，因为召开全体大会非常不容易，规定按乡分组，开会时每组选派代表出席。社员较少的合作社，仍旧全体出席。社员大会为合作社最高权力机关，在它下面设有理事会，及监事会，理事会领导合作社一切工作，监事会经常检查工作清查账目。合作社所有工作人员都由社员大会选任及罢免，完全是民主制度，所以很少有营私舞弊的现象，即使有个别贪污的事情发现，群众很快的就可以发觉，毫不客气的和他作斗争追出贪污的钱，再选任好的人来管理。工作努力的人除每月应得的薪水外，在每次分红利时特别提出十分之一的数目来奖励他。现在又重新规定每个工作人员薪金不规定，视其工作努力与否来提高和减低他的薪金，这对于鼓励工作是一个很好的办法。只是有个别营业不好的合作社，不能按时召开社员大会，这是一种不好的现象，前经领导机关规定营业不佳和较佳的合作社合并，这样一来，资金既可增加，领导也可加强，现在已较前进步得多了。

（3）股金及分布情形

边区二十四个县市中，每个县，市，区，乡都有合作社为组织。大小一共有一百五十五个，社员共八万余人，股金总数七万九千四百七十元，平均每一合作社有资金四百余元，其营业较好者如延安市机关合作社，现已扩大资金到四千余元之谱。

股票在过去规定每股三角，每人最多限购十股。现在为了要扩大合作社的组织，重新规定每股五角，入股的限制取消。现在把一十七年三月份边区合作社社员股金统计表附录如下，以供读者参考：

项目 县别		社数	社员人数	已缴股金(元)		公积金（元）		备考
直属县	延安市	4	2.104	4.001	60	2.572	70	
	延安县	9	6.780	7.834	57	288	42	西一区股金才列入
	安塞县	7	7.645	6.307	77	63	25	
	甘泉县	5	1.216	1.269	20			
	安定县	8	3.578	5.589	58			内抗、属社两社，赤峰、红一、红二三社社员及股金未列入
	延长县	6	4.723	4.400	80			
	延川县	10	11.914	11.777	25			
	古临县	6	1.283	1.678	30			
	保安县	8	4.245	2.913	40			
	神府县	7	10.110	3.289	62			
关中分区	新正县	6	1.620	1.058	00			
	淳耀县	3	424	206	30			
	赤水县	4	745	500	00			
	甯县	3	262	461	00			
庆环分区	曲子县	8	1.978	2.246	50	2.373	00	
	环县	9	2.784	1.773	00			
	华池县	10	1.962	1.600	50			
	固北县	3	404	265	20			
三边分区	靖边县	11	7.657	3.838	13			巡拉、凤凰两社社员及股金未列入统战区合计
	定边县	9	1.924	1.800	60			
	盐池县	9	1.816	4.440	70			
统战区	回县	2	282	455	98			
	清涧县	3	1.059	1.158	90			
	绥德县	5	1.926	2.180	32			
合计	二十四县市	155	78.445	70.947	72	5.297	37	所有股金均以法币计算

上面已经说过，边区的生产合作社是较少的。有个别办得很好，对于生产这一方面也曾注意到，实行结果成绩很好，延安市工人合作社就是一个模范的例子。他们现在共有被服，制鞋，木料，瓷窑，制糖，饭馆等六个生产单位，最初出品虽然很粗劣，但进步非常之快，其中以木料工厂为最大工厂，在去年十二月创办时仅有工人三个。由工人合作社借去一百廿元作为基金，他们一面进行购买原料，一面从事做工，经过四个月工友们的积极努力，及各方面的帮助，工厂基金由一百廿元发展到九百三十四元之多，超过原来基金四倍有余，由此可见群众对合作事业努力之一般。

（4）营业状况

一般的说来，边区各个合作社的基金都是很薄弱的。有一部分干部领导力强，能和社员取得很好的联系，避免有欠账的事发生，周转灵活，营业就会日渐茂盛，获利既多，也深得社员的拥护。如延安市机关合作社，本来原有股金只六百五十余元，公积金三千零七十余元，自一月至三月共供给了各社员及外来参观人员七千三百五十余元的食品，得到毛利二千零五十余元，除一切费用外，尚余净利一千零五十余元。又如延安南区合作社，成立一年的时间，股金由一百九十元增加到一千三百八十元。此外有个别营业不佳的合作社，非但不能营利而且还要赔本，所以引起社员的不满，甚至有退股的现象发生。如保安县一区合作社，由于负责人的不尽职，七个月的工夫贴了一百五十余元。赔钱的原因主要是营业小而开支大，外面欠的账有二百余元不能讨还，以致日见亏空。又如安定南区合作社发生严重的退股现象（共退股金洋一百一十余元）。这些营业不佳的合作社，一方面是因为资金太少，周转不开。但最主要的还是由于缺少坚强干部的缘故！

（5）群众对合作社的影响

上述营业状况较佳，能够获利的合作社，群众对之也较良好。凡是能扩大加强合作社的一切工作，群众也都踊跃的参加。有时为了增厚合作社的资金，他们情愿不分红利，全部捐作公积金。这样的事情在关中分区赤水县二区合作社发生过。该社自去年八月开办到十二月，五个月的工夫得净利二百零九元，经全体社员同意全数扩充公积金以充实资金，发展业务。有时合作社发动社员的募捐慰劳等等工作，无不踊跃参加。模范的合作社对于领导群众工作是一个很大的力量！虽然有些合作社因业务不佳，不能够完全做到为社员解决困难的地步，以致引起一部分社员的不满，对合作社表示冷淡，不积极参加工作，甚至于退出，但这只是极少数的现象，绝大多数群众对合作社都是帮助而且爱护的。

（6）优待抗日军人家属

按边区政府的规定来说，抗日军人家属到合作社购买货物是出九折价钱，并有优先权的。但是现在边区各合作社还没有普遍的做到这一点，只是从每期红利中抽出一部分公益金来帮助抗日军人家属和发展当地小学，使抗日军人子弟有受教育的机会。三月间延安市机关合作社从一千元红利中抽出二百五十元，捐助政府作为抗战经费，五十元帮助附近抗日军人家属。其他各界合作社每期分红利时也都有数十元捐助，这样实行的结果，较之购物优待更为收效，抗日军人家属都非常满意，并且热烈的参加合作社工作，不过边区合作社的领导机关——边区政府建设厅——仍在极力设法，使优待抗日军人家属能有更进一步的成绩，那么对于抗战动员的帮助也就更大。

（7）边区合作社的特点

边区合作社和外面各地合作社不同之点很多，在这里我只就平素所知，略讲一下。

第一，边区合作社因为经济太落后，在这种环境下建立起来的合作社，绝大多数是消费合作社。

第二，边区合作社的社员包括绝大多数的贫农，雇农，中农。富农虽有，但占极少数。它是真正为贫苦群众改善生活的组织。

第三，全边区六十万人口中间，有八万个人参加了合作社的组织，占全人口百分之十三点三，这在全国其他各地是没有的现象。

第四，纯粹是群众自己组织起来的合作社，不同于银行的投资和少数人的包办。

第五，合作社一切工作人员由民主的选出，根绝了贪污舞弊的现象，真正解决群众生活上的困难。

第六，对于抗战有极大帮助，因为边区合作社与政府群众都有密切的联系，帮助政府动员群众很有力量。例如去年慰劳八路军，边区妇女联合会提出慰劳八万双毛手套毛袜的运动，合作社共应募一万二千双，结果募得一万四千双，超过二千双之多，尤其以三边分区的定边，盐池两县合作社成绩最好，各于应募项下又超过四百双，我们可以由此想见，如果推行救国公债，救国公粮，及一切有关抗战工作，借合作去动员民众，该是一个很大的力量。

（8）边区合作社的缺点

无论那一件事情，有优点就有缺点，边区合作社也不能逃出这个例外。它的缺点表现在发展的不平衡，生产合作社少，没有将边区发展薄弱的工业振兴起来，不过关于这一点最近已经计划来着手组织。还有一点就是资金的问题，原有资金不够分配，新的资金又没有增加，影响到合作社营业不开展，以至于个别群众对合作社表示冷淡；但最重要的还是干部的缺乏，有些合作社的工作人员，大都不精于营商，或者吸收商人到合作社工作，又因为商人意识的关系，不免有贪污事情发生，所以有些合作社业务不发达的主要点就在于没有坚强的干部领导。为了要补救这个缺陷，边区政府建设厅办了一个“合作训练班”专门训练合作营业干部，现在已经毕业了三期，成绩尚好。

在边区，有些地方的地方政府和党，对合作事业还看得不甚重要。个别合作社的工作人员也有这种观念，认为合作社不过是营业机关，所以不把它当作有意义的工作来做。

（9）结尾

在抗战期间，发展与扩大合作社运动是从经济上组织群众，团结群众的一个有力武器。在这中间还可以经过合作社来发展我国各地的工业，供给抗战的需要，以及为建设新中国的一切而准备。所以无论在政治上，在经济上，合作社都有它很大的意义，这是不容我们忽视的！

三联经典文库第二辑简目

《游击战教程》　明凡 / 著

《游击战术纲要》　陶剑青 / 编著

《汪精卫卖国的理论与实践》　钱俊瑞 / 著

《抗战以来》　韬奋 / 著

《陕行纪实》　楚云 / 著

《随军散记》　沙汀 / 著

《被日寇囚系半载记》　王研石 / 著

《倭营历险记》　房沧浪 / 著

《活跃的新西北》　田影 / 编著

《保卫华北的游击战》　刘清扬　陈北鸥等 / 著

《徐州突围》　《徐州突围》编委会 / 编

《沦亡的平津》　长江　小方等 / 著

《淞沪火线上》　胡兰畦等 / 著

《瞻回东战场》　长江　罗平 / 著

《东线的撤退》　胡兰畦等 / 著

《抗战中的西北》　徐盈 / 著

《鲁闽风云》　徐盈等 / 著

《西线生活》　西北战地服务团集体创作

《中国解放区见闻》　［美］福尔曼著 / 朱进译

《全面抗战论》　潘汉年 / 著

《日本的间谍》　范士白自述 / 尊闻译

《日本大陆政策的真面目》　国难资料编辑社 / 编

《民众动员论》　李公朴 / 著

《中国外交史》　钱亦石 / 编著

《太平洋军事地理》　蒋震华 / 著

《世界经济地理讲话》　思慕 / 著

《列强军力论》　［德］马克斯·威纳尔著 / 宾符　仲持　梅益等译

《近代国际关系史》　张铁生 / 著

《太平洋现势手册》　沈志远　石啸冲 / 编著

《近代世界政治史》　钱亦石 / 著

《从战争到和平——一九四五年的世界政治》　乔木 / 著

《战后日本问题》　思慕 / 著

《最近一年间的国际动态（1946.7–1947.6)》　《东北日报》社 / 编

《论政党》　翟放 / 著

《法与宪法》　韩幽桐 / 编著

《中华民国宪法刍议》　罗家衡 / 著

《民主·宪法·人权——作之民》　费孝通 / 著

《宪法论初步》　潘念之 / 著

《对反民主的抗争》　韬奋 / 著

《农村改进的理论与实际》　江恒源 / 著

《上海产业与上海职工》（上下）　　朱邦兴　胡林阁　徐声 / 合编

《陶行知教育论文选辑》　　陶行知著 / 方与严编

《中国通货膨胀论》　　杨培新 / 著

《中国及其未完成的革命》　　H・普拉特著 / 蒋天佐译

《中国的建设问题与人的训练》　　卢作孚 / 著

《论中国特殊性及其他》　　艾思奇 / 著

《中国经济问题讲话》　　钱俊瑞　徐雪寒　王渔邨　姜君辰　骆耕漠 / 合著

《中国经济的道路》　　许涤新 / 著

《中国财政之病态及其批判》　　孙怀仁 / 著

《官僚资本论》　　许涤新 / 著

《五四运动之史的评价》　　陈端志 / 著

《中国通史简编》（上下）　　中国历史研究会　范文澜 / 主编

《论文学的工农兵方向——读〈在延安文艺座谈会上的讲话〉》　雪苇 / 著

《中国近代史（上编　第一分册)》　　武波 / 编著

《文学百题》　　傅东华 / 编

《中国史学之进化》　　周谷城 / 著

《论民族形式问题》　　胡风 / 著

《论批评》　　荃麟等 / 著

《中国史纲》（第一卷上下、第二卷上下）　　翦伯赞 / 著

《近代中国思想学说史》（1–4）　　侯外庐 / 著

《中国政治思想史》（上下）　吕振羽 / 著

《中国哲学史纲要》　向林冰 / 著

《中国政治史讲话》　钱亦石 / 著

《中国社会经济史纲》　王渔邨 / 著

《新财政学大纲》　千家驹 / 著

《太平天国革命运动论文集——金田起义百周年纪念》

华北大学历史研究室 / 编

《理性与自由——文化思想批评论文集》　胡绳 / 著

《战斗者的诗人》　黄药眠 / 著

《国语文法》　曹朴 / 著

《教育哲学》　张栗原 / 著

《妇女问题讲话》　杜君慧 / 著

《婚姻 · 子女 · 继承》　沙千里 / 著

《性教育新论》　布士克　雅各生合著 / 董秋斯译

《狱中杂感》　杜重远 / 著

《七人之狱》　沙千里 / 著

《爱迪生传》　伍况甫 / 译

《歌德自传》（上下）　歌德著 / 思慕译

《尼赫鲁自传》　［印度］尼赫鲁著 / 毕来译

《列宁传》　［苏］凯尔任采夫著 / 企程　朔望译

《罗斯福总统传》　C. Mackenzie 著 / 张尚之译

《托尔斯泰传》（1–3）　［英］阿尔麦 · 莫德著 / 徐迟译

《革命文豪高尔基》　［美］亚历山大·康恩著 / 韬奋编译

《鲁迅纪念特辑》　新中国文艺社 / 编

《回忆鲁迅先生》　萧红 / 著

《人民文豪鲁迅》　平心 / 著

《亡友鲁迅印象记》　许寿裳 / 著

《鲁迅思想研究》　何干之 / 著

《鲁迅研究》　夏征农 / 编

《过来的时代：鲁迅论及其他》　雪峰 / 著

《电影戏剧表演术》　洪深 / 著

《日常心理漫谈》　［美］约瑟夫·查斯特罗著 / 曾宝施译

《心理常识漫话》　朱智贤　杨云美 / 著

《读书的方法与经验》　王任叔 / 著

《美国黑人生活纪实》　［美］加德维尔　斯坦倍克著 / 董秋斯译

《初访美国》　费孝通 / 著

《事业与成功》　［美］马尔腾著 / 汪原放译

《萍踪寄语（初集）》　韬奋 / 著

《一生的幸福前途——〈生活周刊〉信箱选集》　生活书店 / 编选

《深刻的印象》　生活周刊社 / 编

《海外的感受》　生活书店编译所 / 编

ISBN 978-7-108-04642-0

9 787108 046420 >

定价：20.00元